うちのDEアート 15年の軌跡

地域アートプロジェクトを通じて見えてきたもの

新潟大学教育学部芸術環境講座（美術）編

新潟日報事業社

内野の町と「うちのDEアート」

新潟市西区長　眞島　幸平

「うちのDEアート」は平成13年にスタートしました。以後、芸術の新たな可能性の模索と地域活性化を図りながら、事業に取り組んでいただいてきました。

このプロジェクトは、大学と地域の皆さんの協働による企画というのが特徴です。第2回以降は、住民有志による「夢アートうちの」が結成され、学生と地域をつなぎ、地域活性化に寄与するなどプロジェクトを支える重要な役割を果たしてきました。「うちのDEアート」の企画だった《シンカワホタル》を「夢アートうちの」が引き継ぎ、今では内野の夏の風物詩として定着しています。また、内野には軒先にオリジナルののれんを掛けるお店があります。これも「うちのDEアート」から始まったもので、「内野に人を呼び込みたい」という地元の思いもあり、近年復活したものです。これらは芸術の力が地域を動かした好例と言えるのではないでしょうか。

「うちのDEアート」は、美術館などでの作品展示とは違い、日常的な街角、普段の地域の人たちの営みの場を舞台に展開されます。内野には風格を感じさせる造り酒屋や生活を支える身近な商店、住宅地に佇む寺社などがあり、作品を見ながら街を歩いていると、その心温まるファンタスティックな空間に引き込まれます。「うちのDEアート」の魅力だと思います。

政令指定都市移行により、西区が誕生した19年から西区役所も実行委員会に加わり、大学、地域の皆さんとともに事業を進めてきました。高度な学術研究機関が立地する区の特色を生かし、区の芸術・文化といった魅力を発信し続けてこられたと考えています。

来年度以降は、教育学部芸術環境講座以外の学部などにも協働の輪を広げ、芸術の力を活用した地域活性化をさらに進めていきたいと思います。

凡例
◇　本文中の《　》は作品名を示す。イベント名は、必要な場合に限り「　」でくくった。
◇　第3部の執筆者については巻末に一覧を、それ以外の寄稿者の肩書きは各文末に掲載した。
◇　特に断りのない場合、新潟大学教育学部の通称美術科が行うアートプロジェクトのうち、科全体の活動として新潟市西区にて行うものを総称して「うちのDEアート」と呼ぶ。「美術科」ならびに一連のアートプロジェクトの名称についての詳細は、第1部冒頭「うちのDEアートとは」を参照。

2

目　次

まえがき

2016年11月に行ったアートプロジェクト「うちの開花宣言」をもって、新潟大学教育学部の通称「美術科」が主体となって行ってきた「うちのDEアート」をはじめとする地域アートプロジェクトは、一旦幕を下ろすことになった。

「美術科」では、2001年以来15年にわたり、新潟大学五十嵐キャンパスの膝元である内野地区をはじめ新潟市西区各地において、「うちのDEアート」、「西区DEアート」といったアートプロジェクトを展開してきた。この間、地域社会を舞台に芸術教育を行うことで得られたものは、一言では語り尽くせない。地域社会と直接対峙することで学生たちはさまざまな問題に直面したが、それが芸術表現への刺激となった。また芸術表現以前に、意思伝達や交渉術、協調性、地域社会への理解も求められた。社会性を養う場でもあったのである。

15年のうち、順調な時期はどのくらいあっただろうか。おそらくほとんどなかったといえよう。創始期は町との信頼関係の構築が喫緊の課題であった。この頃の苦労については、本編第2部にて住民の立場から、夢アートうちの代表の長谷川酉雄氏が、そして第3部にて新潟大学教育学部芸術環境講座（以下、本講座）教授の丹治嘉彦が詳述している。その他、活動資金の問題もあった。その後も次から次へと新たな問題が生じたが、それを何とか乗り越えることを通じて、我々の経験値が上がってきたともいえるだろう。我々のアートプロジェクトは、苦労は多いが、研究教育の場としてかけがえのないものだった。

しかし昨年あたりから、このプロジェクトの幕引きが教員の間で話題になるようになってきた。直接的な要因は、大学側の体制の変化である。これまで教育学部の教員養成課程美術教育専修の学生と芸術環境創造課程（いわゆるゼロ免課程、新課程）の造形表現コースの学生が、通称美術科として分け隔てなく共同でプロジェクトに携わってきた。両課程を担当する教員が同一であり、両課程合同で行われる授業が多かったこともその背景にある。しかし文科省の方針により全国的に新課程が廃止さ

れ、新潟大学では芸術環境創造課程に代わる芸術教育の場が確保されず、芸術系の学生数が純減することになった。同じく大学院教育学研究科も2016年度を最後に募集停止となり、これまでプロジェクトの中枢を担ってきた大学院生の入学が見込めなくなった。活動母体の縮小は致命的である。

しかし、プロジェクト終了の要因はこれだけではなく、学生気質やプロジェクトの性格の変化、あるいはさまざまな環境の変化も挙げられよう。これまで主たる開催地であった内野町の変化もあるかもしれない。

そこで本講座では、15年の活動を締めくくるにあたり、今年度一年をかけて、これまでの活動を振り返ることにした。まず11月に開催した「うちの開花宣言」の中で、これまでのプロジェクト全てを年ごとにまとめたパネル展示を行った。また、期間中に三つのシンポジウムも開催した。そしてさらに考察を深めるべく編纂することになったのが本書である。

本書は3部構成となっている。第1部では各年のプロジェクトを概観する。プロジェクトの目的や運営組織、運営方法といった概要の説明に続き、昨秋のパネル展示をもとに、通時的な視点から各年の特色をまとめた。こうして並べることにより、15年の変遷過程がそれなりに浮き彫りになったように思う。紙幅の都合で、個々の作品についてはほとんど触れることができなかった（これについてはプロジェクトごとに概要をまとめた小冊子をその都度発行してきたので、そちらをご覧いただきたい）。

第2部では、地域の視点からプロジェクトを振り返る。昨秋のシンポジウムは、それぞれ産学連携、教員養成、そして地域との関係という三つの観点から行った。そのうち本書には、地域連携の側面に焦点を当てた最後のシンポジウムを採録する。続いて、このときの登壇者を含む数人に、「うちのDEアート」の具体的な思い出を述懐していただいた。ここでの寄稿者には、住民の方々の多大な協力を得て活動を展開した当時の学生も含まれる。彼らの視点によって、住民との関わりが重層的に見えて

くるのではないだろうか。

　そして第３部では、本講座の現役教員がそれぞれの専門領域の立場に基づいて、これまでの活動を振り返った。現代アートを専門とする丹治嘉彦は、立ち上げ当初からプロジェクトの牽引役を務めてきた。それゆえ丹治の論考では、創始の経緯や理念からその後の変遷が考察されている。続いて佐藤哲夫は、コミュニケーションをキーワードに据え、教員養成、とりわけその理論的観点から15年を振り返る。３人目の論者、柳沼宏寿も佐藤同様、美術教育を専門とする。柳沼の論考では、教員養成における教育実践が取り上げられる。我々のプロジェクトでは、地域住民や児童生徒とともに造形活動を行うワークショップは、作品発表と並ぶ重要な活動だった。４人目、デザインを専門領域とする橋本学は、地元の造り酒屋と連携して、長期にわたり商品展開のプロデュースを研究してきた。本書ではこの活動を中心に、デザイン教育と産学連携の点からプロジェクトについて振り返る。続いての寄稿者である彫刻家の郷晃は、「うちのDEアート」初期の頃に開催した、海外の彫刻家を招いてのアーティスト・イン・レジデンスと、2009、2011年に発表されたカメラ・オブスクラの作品群について報告する。ここまでの寄稿者のうち柳沼を除く４人は、「うちのDEアート」の立ち上げ時からこの活動を支えてきた。次の寄稿者、永吉秀司は2011年に日本画担当として本講座に着任し、2015年と2016年のプロジェクトにおいて、日本美術院が進める日本美術の高精彩復元事業と連携した活動を行ってきた。本書ではこの活動を振り返る。７人目の田中咲子は、2013年に学生たちとともに古民家を借用して行ったプロジェクト《うちの・いえ・ギリシャ》を取り上げ、その後の展開を踏まえて、アートプロジェクトにおける美術史の関与について考察する。そして第３部の最後に、第三者的専門家の立場から、新潟市美術館学芸員の荒井直美氏にも論考を寄せていただいた。荒井氏には「うちのDEアート」立ち上げの当初から、外部アドバイザーのような形で幾度となく協力を

仰いできた。本書では、他の地域アートプロジェクトとの比較を交えて、我々のアートプロジェクトを振り返っていただいた。

　全編を見渡すと、学生や教員、そして地域の人々の当時のエネルギーに驚かされたり、あるいはもっとよい方法があったのにと反省の念にかられる箇所もある。美術科全体として行ってきた、「うちのDEアート」をはじめとするプロジェクトは今年度をもって一区切りとなるが、大学教育におけるこうしたアート・プロジェクトの有効性に疑問を差し挟む余地はないだろう。今後も美術科の教員としては、大なり小なり形態を工夫しながら何らかのプロジェクトを続けていければと考えている。我々は本書を、次へ進むための省察の手段として位置付けている。読者からは忌憚（きたん）なきご意見やご批判を頂ければありがたい。

　最後に、これまでのプロジェクトに関わり、支えて下さった内野町をはじめとする地域の皆さま、新潟市西区、参加アーティストや講演者の方々、協賛及び後援団体の皆さま、そして昨年度まで予算的に支援を

頂いた新潟大学に厚く御礼申し上げたい。

2017年3月

新潟大学教育学部芸術環境講座（美術分野）
教員一同

第1部

CHRONICLE クロニクル

「うちのDEアート」とは

1．はじめに

　新潟大学教育学部の通称「美術科」によるアートプロジェクトは、2001年の「うちのDEアート」をもってスタートした。第1部では、15年間続いたこのプロジェクト全体の概要を解説した上で、各プロジェクトを紹介する。

　本題に入る前に、「通称美術科」について略説しておきたい。新潟大学教育学部は本来、教員養成を主目的とする学部であるが、文科省の方針に基づき1998年4月に、教員養成の課程と並立する形で幾つかの課程が新設された。ちょうど生涯教育のニーズが高まってきた時期であり、教員養成にとどまらず、社会において広い意味での教育に関わることのできる人材を養成することが求められた。この新課程の学生には教員免許の取得が義務付けられなかったため、「ゼロ免課程」と称されることもある。新潟大学では新課程の一つとして、音楽表現、造形表現、書表現の3コースからなる芸術環境創造課程が設置された。その結果、学部には美術に関わる学生が二通り生まれた。

教員養成課程美術教育専修の学生と、芸術環境創造課程造形表現コースの学生である。両課程を担当する教員は同一であり、教員組織でいえば芸術環境講座に属す。それゆえ学生たちは、それぞれ所属する課程は異なっても、一学科のように活動することがほとんどだった。そこで両課程の美術系の教員と学生のことを便宜的に「美術科」と呼ぶようになった。「うちのDEアート」はこの「美術科」を主体として行われてきた。

2．背景と目的

　大学改革の流れの中で、新潟大学の教育学部は、1998年に教育人間科学部へと改組され、美術教育分野も芸術環境講座に位置付けて独自性のある教育を目指した。造形表現コースの特徴は、芸術家を養成するための芸術専門教育ではなく、むしろ芸術の根底にある楽しむという側面に光を当て、社会に芸術の意義を伝えられる人材を育てることにある。そこで、他の表現領域である音楽表現コース、書表現コースと共通の単位を設けたり、専門領域間で連携し

総合的に関わり合えるカリキュラムを設定し実践する試みが始まった。この新課程の教育プログラムの実践の場として、学内を飛び出し、さりとて美術館やギャラリーといったニュートラルでプレーンな空間ではなく、人々が日常の生活を営んでいる町の中で、我々が抱いている芸術表現の新たな可能性を示す試みとして、地域と連携したアート・プロジェクト「うちのDEアート」が生まれた。

3．開催地域

　開催場所は新潟市西区とし、中でも中心的な活動拠点地となったのが新潟市西区内野町である。

　この町は大学近隣にあり、教育実践の場として出向きやすく、また、市中心部へ通勤する人々のベットタウン型住宅地が広がる地域である一方で、歴史的な背景を持った地域でもあった。江戸時代中期に、信濃川分水路の干拓事業で工事に関わる人々や、その生活を支えるさまざまな職業の人々が集まり、周辺一体が繁盛した歴史を持つ町である。町の現状は、地方都市が抱えている問題点と同様に、環境の変化にのまれ歴史観が感じにくい町となっている。少子高齢化社会でのコミュニティーの欠落や、車社会により中心地へ移動する消費者の流れが進み、商店街でのにぎわいの場は変化してきた様子がうかがわれる。

　このような背景を持った場所で我々が地域連携アート・プロジェクトを開催することにした背景には、土地の記憶が少なからず残っている地域を舞台に、町が持つ諸問題とさまざまな芸術表現領域とが対峙しながら変化してゆく未来をのぞいてみたいという好奇心があったのも確かである。我々には芸術表現の検証の場として、町側としては地域コミュニティーの活性化という目的があり、町との相互関係を築きながら講座内のさまざまな専攻が一体となった活動が始まった。この取り組みは隔年開催という形で、プロジェクト名は「うちのDEアート」として動き出した。毎回、関わる学生たちは変わってゆくが、その都度、春先から町を調査し、発表場所や表現方法、地域

との関わり方を学生たちの独自の視点で見つけ出す試みと、教員主導のゼミプログラムとで構成して積み上げてきた。

4．運営組織

運営に当たっては、美術科の全教員と大学院生を中心メンバーとする実行委員会を組織し、講座の教員が窓口となった。教員全員と大学院生が中心となって全体を統括し、大学院生に学部学生60名ほどを合わせた学生組織が企画、運営、広報などの実働を担った。

学生自らが地域と直接的に交渉できるように、学生組織内にも学生実行委員長、渉外係、広報係、会計係を定め、事業を進めた。2003年からは、地域住民のサポートメンバー10名ほどによる住民団体が発足し、大学と地域（内野町）との調整役としての役割を担った。2005年には彼らの組織名が「夢アートうちの」に決定した。「夢アートうちの」は、アートプロジェクトが内野で開催される際には実行委員会にも加わり、定期的に大学側と協議を重ね、プロジェクト

を支えた。2007年からは新潟市西区も実行委員会のメンバーとして名を連ね、現在に至る。

5．運営方法

プロジェクトの運営では、教員が指導しながら、学生実行委員が予算の申請や、外部招聘（しょうへい）アーティストとの交渉、町においての住民説明会の実施など、プロジェクトのマネージメントも行った。これらは教育の一環として位置付けられた。

作品を発表する学生は、個人でもゼミ間を超えて融合したグループでも自由に立候補できる。町中での発表形態を考慮したプランニングを、講座全体で定期的に開く検討会で披露し、教員に指導を仰ぎながら進めてゆく形式である。町に出たことで多分野融合型のプランニングが浮かび上がり、教員が期待していた芸術表現の再構築が自然な形で進んでいった。社会における芸術文化創造を実践するといったプロジェクトでは、学生が主体的に取り組み、教育を捉え直すことで、自ら学び考えるという実践

力を身に付けることができるのである。

6．名称

　本書のタイトルでもある「うちのDEアート」の定義は、実のところ極めて曖昧である。狭義には新潟市西区内野地区で原則として隔年で開催されたアートプロジェクトを指す。新潟市西区役所が主催者に加わった2007年度以降、狭義の「うちのDEアート」が行われない年に、我々は西区内の別の地域においてもアートプロジェクトを開催するようになった。本書では、これらも含めて、美術科全体が行ったものを便宜的に「うちのDEアート」と呼んでいる。

　そもそも初回すなわち2001年の「うちのDEアート」の際に、美術科によるアートプロジェクトを総称する名称として、「Art Crossing Niigata」が決められた。以後、ポスターやチラシにもこの名称が見られるようになったが、「うちのDEアート」の方が浸透し、この名称はあまり用いられていないのが実情である。

7．特色

　「うちのDEアート」の柱となる取り組みとして、一つには、地域住民や子どもたちが参加できる造形ワークショップが挙げられる。これは、教員養成課程を持つ講座の特色を活かした美術教材開発の検証の取り組みでもある。各企画４、５名の学生が中心となって、空きテナントでの陶芸体験や、絵画表現などの活動支援、公園での木材や段ボールを用いた秘密基地作り、小中学校の授業に関わりながら築いた作品を町に飾り立てるといった企画などである。

　もう一つの柱は、町中の展示場所を自らが見つけ出し、町と交渉して企画作品を構築する取り組みである。ここで求められるものは、地域との交渉を通じて社会に向き合った表現であり、一方的な提示をするのではなく、場所や、地域住民との関わりから生まれる表現を目指している。この行為は問題解決型の手法とも通じるものであり、我々のアートプロジェクトは、芸術ソフトを用いた町作りとしての側面を持ち併せていると感じている。

ART CROSSING NIIGATA

新潟大学教育学部美術科によるアートプロジェクト

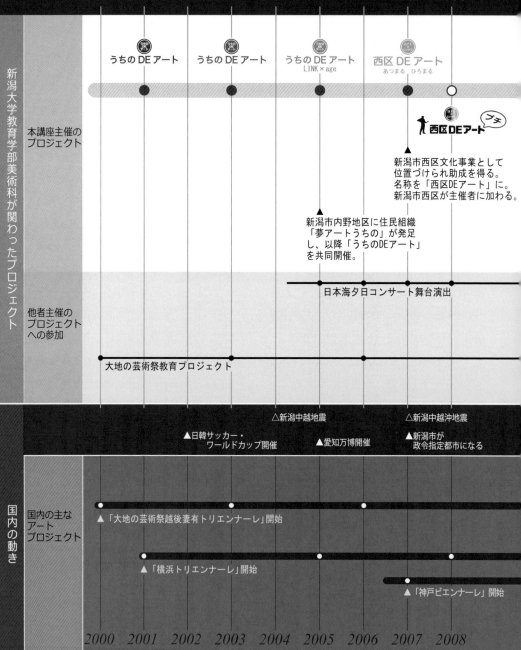

2000 2001 2002 2003 2004 2005 2006 2007 2008

新潟大学教育学部美術科が関わったプロジェクト

本講座主催のプロジェクト

うちの DE アート　　うちの DE アート　　うちの DE アート LINK×age　　西区 DE アート あつまる　ひろまる

西区 DE アート プチ

新潟市西区文化事業として位置づけられ助成を得る。名称を「西区DEアート」に。新潟市西区が主催者に加わる。

新潟市内野地区に住民組織「夢アートうちの」が発足し、以降「うちのDEアート」を共同開催。

他者主催のプロジェクトへの参加

日本海夕日コンサート舞台演出

大地の芸術祭教育プロジェクト

△新潟中越地震　　　　　　　　　　　△新潟中越沖地震

▲日韓サッカー・ワールドカップ開催　　▲愛知万博開催　　▲新潟市が政令指定都市になる

国内の動き

国内の主なアートプロジェクト

▲「大地の芸術祭越後妻有トリエンナーレ」開始

▲「横浜トリエンナーレ」開始

▲「神戸ビエンナーレ」開始

2000 2001 2002 2003 2004 2005 2006 2007 2008

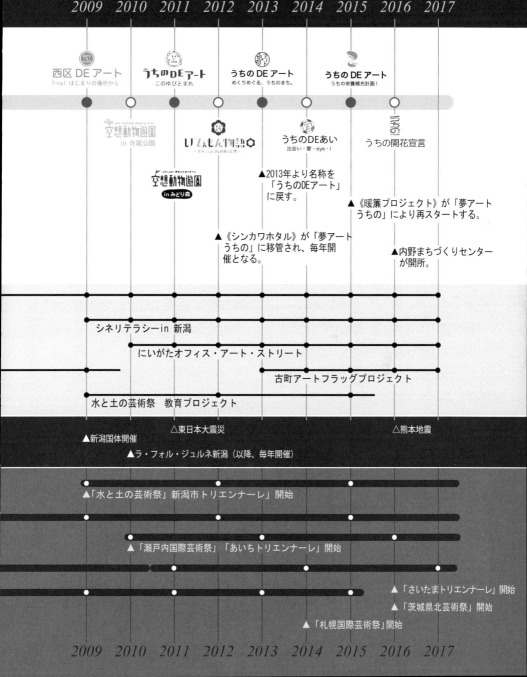

2009 2010 2011 2012 2013 2014 2015 2016 2017

西区 DE アート
final はじまりの場所から

うちのDEアート
このゆびとまれ

うちの DE アート
めくりめぐる、うちのまち。

うちの DE アート
うちの栄養補充計画！

空想動物遊園
in 寺尾公園

いしもん物語

うちのDEあい
出会い・愛・eye・i

うちの開花宣言

空想動物遊園
in みどり森

▲2013年より名称を
「うちのDEアート」
に戻す。

▲《暖簾プロジェクト》が「夢アート
うちの」により再スタートする。

▲《シンカワホタル》が「夢アート
うちの」に移管され、毎年開
催となる。

▲内野まちづくりセンター
が開所。

シネリテラシーin 新潟

にいがたオフィス・アート・ストリート

古町アートフラッグプロジェクト

水と土の芸術祭　教育プロジェクト

△東日本大震災

△熊本地震

▲新潟国体開催

▲ラ・フォル・ジュルネ新潟（以降、毎年開催）

▲「水と土の芸術祭」新潟市トリエンナーレ」開始

▲「瀬戸内国際芸術祭」「あいちトリエンナーレ」開始

▲「さいたまトリエンナーレ」開始

▲「茨城県北芸術祭」開始

▲「札幌国際芸術祭」開始

2009 2010 2011 2012 2013 2014 2015 2016 2017

うちのDEアート 2001

　大学が主体となったアートプロジェクトとしては、日本における先駆けとなった「うちのDEアート」。発端は、当時の美術や大学教育、さらには地域社会の在り方に問題を感じ、自分たちの役割として、改革を目指すべきだと考えていた新潟大学芸術環境講座（美術）の教員たちが、大学院生や学生に働き掛けたことであった。議論し意見を交わす中で、学生たちの若いエネルギーに火がついた。経験もノウハウも無い中、時間と労力と気持ちが惜しげもなくつぎ込まれた。

　発表された企画は、大学から飛び出し、外に向かって積極的に表現することで自分たちの存在をアピールしようとする姿勢が濃厚である。例えば《成長キノコ》は、JR内野駅ホームにおいて、最初は20cmだった積層ダンボール製のキノコが、日ごとに成長して、しまいには160cmにまで成長する様を見せた。また《バス停改造計画》では、バス会社に許可をもらい、住民の利用するバス停をデザイン、制作して設置した。

　このプロジェクトの正式名称は、「新大・内野アートクロッシング2001　うちのDEアート」である。だが「アートクロッシング」なる言葉が口に上ることはない。みんなが「うちのDEアート」と呼ぶ。この名称は、もともと内野の住民側から提案されたものである。美術は一部の愛好家ではなく、一般住民のためのものという考えに賛同し、意をくんでくれた提案であった。良い意味での地方的な泥くささ、反エリート的世俗性をイメージさせる呼称が、この後続いていくアートプロジェクトが持ち得た性格の一面をよく語っている。

- 会期：2001年10月27日〜11月4日
- 主催：新潟大学教育人間科学部芸術環境講座
- 会場：新潟市西区内野地区
- 企画：総数31

うちのDEアート 2003
共有〜新たなる視点から〜

　第2回目となる「うちのDEアート2003」では、「共有〜新たなる視点から〜」というテーマを設定し、町と大学とのさらなる一体化を目指した。学生、住民、芸術環境講座（美術）教員の三者で構成される実行委員会を設けて、企画運営を進めていった。また、内野住民の有志で構成された団体、後の「夢アートうちの」の前身である「内野住民事務局」も発足した。学生たちとの検討会では、彼らから出されるさまざまな企画の発想が新鮮だったとのことで、活発に意見が交わされた。こうした会議を重ねて、プロジェクトの準備が進められていった。

　今回のプロジェクトでは、学生作品の発表の他に、趣向を凝らした新たな企画も数多く生まれた。その一つとして、外国人のアーティストが1カ月間町に滞在して制作するアーティスト・イン・レジデンスが、教員（郷晃）のコーディネートで実現した。また、内野町を知る活動として、美術理論系の学生たちがコーディネートした「うちの大学」という企画も行われた。内野町で

モノを生み出すことを生業とする4人の方を講師として招き、「人生・ものづくり・内野町」と題して、参加型トークセッションを開催した。このときの講師は、玉木晴夫氏（表具職人）、小林清則氏（仏壇職人）、金子彦治氏（伊藤酒造杜氏）、藤沢周氏（小説家）の方々である。

　「うちのDEアート」第3回目として行われた2005年のプロジェクトでは、ここで築かれた町との関係性をさらに発展させた企画が、次々と生まれてゆくこととなる。

- ■会期：2003年10月25日〜11月3日
- ■主催：新潟大学教育人間科学部芸術環境
　　　　講座
- ■会場：新潟市西区内野地区
- ■企画：総数36

うちのDEアート 2005
LINK x age 未来へのつながり

　2005年の「うちのDEアート」は、平成17年度文化庁「芸術による創造のまち」支援事業、（財）新潟県文化振興財団助成事業、（財）新潟県国際交流協会、新潟・国際協力ふれあい基金10周年記念「国際協力・アースキャンペーン」、（財）ニューにいがた振興機構、新潟県建築士会、新潟日報美術振興財団からの助成を得て開催された。これらの支援により予算が比較的豊富にあったことから、国内外より10余名のアーティストやアートディレクターを招待し、公開制作や講演、個展の企画を行った。学生企画においても、工学部建築コースや教育学部音楽コース、長岡造形大学の参加など、スケールが大きく広がりのある開催となった。

　2003年から継続するのれんプロジェクト《暖簾路》は、企画に参加した学生が、長岡造形大学大学院染色専攻に進学したことから、2つの大学の協働プロジェクトとして行われた。のれんストリートの距離も前回より延長され、「うちのDEアート」を象徴するプロジェクトの一つに成長した。

　のれんの広がりには大変な期待が寄せられ、のれんストリートから外れた家は、次の「うちのDEアート」を心待ちにしてくれたようであるが、企画者の大学院修了で終わってしまった。しかし現在、その仕掛け人が、町と協力してのれんプロジェクトを復活させ、掲げる家が少しずつ増えている。のれんが内野町全体の小路を彩るようになれば、《シンカワホタル》とともに「うちのDEアート」が残したおおいなる財産となってゆくことだろう。

■会期：2005年10月14日〜10月30日
■主催：新潟大学教育人間科学部芸術環境
　　　　講座、夢アートうちの
■会場：新潟市西区内野地区
■企画：総数35

うちのDEアート 2007
あつまる　ひろまる

　2007年の大きな特徴として、過去3回の「うちのDEアート」から「西区DEアート」に名称変更を行ったことが挙げられる。これまでは隔年で「うちのDEアート」を行ってきたが、この年より西区内のどこかで毎年プロジェクトを実践することとなる。

　この年、新潟市は本州日本海側初の政令指定都市となり、新潟大学が立地する新潟市西区から、区の特色ある取り組みの一環として「うちのDEアート」を西区内に積極的に広めてほしいとの要請があった。これを受けて多面的な効果を模索すべく、内野地区はもとより西区内にプロジェクトを広めることとなった。

　2005年の企画数は35であったが、その数を超えた52もの企画がこの年のプロジェクトにおいて実施された。また招聘アーティストの増加はもちろんだが、研究領域の横断化によって参加学生が大幅に増えたことも大きな特徴といえる。前回参加した建築学科に加え、音楽や書道といった他の芸術教科からの参加はプロジェクトの厚みとなった。また美術館とも連携をとっ

たことも成果の一つといえるだろう。しかしながら、企画数の増加と表現の場所が拡散したために、学生のオーバーワークを招いてしまった。むろんその時間に宿る意味は濃密であることに間違いはないが、そのために健康や安全面を犠牲にすることがあってはならないと、考えさせられた年であった。

■会期：2007年10月13日〜10月28日
■主催：新潟大学教育人間科学部芸術環境講座、夢アートうちの、新潟市西区役所
■会場：新潟市西区内野地区、寺尾中央公園、五十嵐浜、新通地区
■企画：総数52

西区DEアートプチ 2008

　この年は、これまで隔年で開催していた大規模なプロジェクトの谷間という控えめなイメージを「プチ」という言葉で表現した。学生は、「うちのDEアート」から「西区DEアート」への転換に際し、単なる拡張としてではなく、地域住民や子どもの声に寄り添うことを主眼に据えており、その「つながり」や「思い」を「プチ」という響きに込めたものでもある。会場は内野町と寺尾中央公園の二カ所を拠点とし、それぞれに案内所を設置して、双方の企画をつなぐこともこの年の特色とした。

　まず内野町では、参加型ワークショップを基本に多彩な芸術表現を展開し、「うちのDEアート」本拠地としての存在を示すものになっていた。中でも古民家を利用した《とうろうカフェ》は、地域の歴史や商業とのつながりを形象化し、新たなコミュニケーションの空間を創出していた。また、住民の希望に沿ってまちの景観を飾るプロジェクト《まちかざり》は、造形表現によって環境が変わっていく過程そのものが、地域創生の意味を体感させるものになっていた。その他、

陶芸づくりの《Clay work》や新大生の《パフォーミングアート》なども印象深かった。

　他方、寺尾中央公園では7つの学校ワークショップを披露した。西区の小中学校8校と連携し、学生がそれぞれの学校へ2〜4カ月の間に数回出向いて実践したものを展示した。各校独自の願いを発信するために、最初は子どもたちとの話し合いから始め、造形活動へ誘った。各学校での出前授業を通して、新素材の提案や学生の関与を受けた学校側と、学生の授業経験の機会を得た大学側の双方にとって有意義な企画となった。

　「プチ」の企画は、全般的に「社会に開かれた」造形活動を演出しており、アートが人と人をつなぐ媒介として豊かに機能することを証明しているように思われた。

■会期：2008年10月10日〜10月19日
■主催：新潟大学教育学部芸術環境講座、
　　　　夢アートうちの、新潟市西区役所
■会場：新潟市西区内野地区、寺尾中央公園
■企画：総数21

西区DEアート 2009
final はじまりの場所から

　2009年は、2007年に「西区DEアート」と名称を変更して2回目となるものである。

　2001年に始まったプロジェクトもこの年で10年という区切りの年となり、地域連携を土台としたプロジェクトをもう一度見直すことをこの年の目標とした。特に企画数を絞ることで、それぞれにおいて充実を図ったことと、地域とのつながりが前回以上に強くなったことが、この年の「西区DEアート2009 final はじまりの場所から」の特徴でもある。また、新潟大学旭町学術資料展示館などでプレイベントを実施し、本番に向けての広報的役割を担うとともに企画などの課題をあぶり出した。

　この年は埼玉大学、山梨大学そして環境芸術学会などとの連携が進んだ。この事はプロジェクトの深化につながった。学生企画の《new RE-VER project - シンカワホタル》が代表的な表現として挙げられる。地域の方々の新川への記憶や思いをベースとして、LEDを装着したアシ10000本を新川に浮かべる作品となったが、2012年には地域の住民がこのプロジェクトを引き継ぎ、毎年お盆の時期に「新川ほたる」として披露されている。

- ■会期：2009年9月26日〜10月11日
- ■主催：新潟大学教育学部芸術環境講座、夢アートうちの、新潟市西区役所
- ■会場：新潟市西区内野地区
- ■企画：総数29

空想動物遊園 2010
in 寺尾中央公園

　我々が押し進めて来た地域連携アートプロジェクトは、西区の文化事業として位置付けられ、行政からの活動助成が毎年計上されることに決まった。

　この年は、隔年開催を行ってきた大学と内野町との地域連携アートプロジェクトの狭間の年であったが、2007年〜2009年の「西区DEアート」でサテライト会場として用いてきた寺尾中央公園を開催地としてプロジェクトの構成を考えていった。活動地の寺尾中央公園の魅力としては、以前、遊園地があった土地の記憶から、内野町とは違った背景があり、今までとは違った新たな表現作品が生まれる期待と、新たな場での地域交流にあった。

　プロジェクトが行われた寺尾中央公園は1949年〜1981年の間、チューリップやバラを鑑賞する施設を前身に、新潟遊園というレジャー施設として機能していた場所であった。プロジェクトの構想として、子どもにも大人にも親しみやすく、イメージを喚起させやすい「動物園」というキーワードが、土地の記憶を読み解きながら浮かん

だ。そして、「人々が集う公園でさまざまな造形活動を体験できるイベントに誘うように、等身大のキリンやクマ、ライオンに見立てた木材造形作品をプロジェクトのランドマークとして演出はできないだろうか」という構想を共有し、企画内容を煮詰めながら名称を「空想動物遊園」と定めていった。

　造形ワークショップの企画では、普段子どもたちの憩いの場でもある公園の景色を一変させた空間で、切り貼りしたシートを身にまとって動物へ変身、魚が泳ぐ空中水族館、動物と戯れる仕掛けの滑り台、大量の粘土を使っての動物づくり等々、五感を覚醒させながらイメージを広げられるような体験型の造形活動を開催した。

■会期：2010年9月23日〜9月26日
■主催：新潟大学教育学部芸術環境講座、
　　　　新潟市西区役所
■会場：新潟市西区寺尾中央公園
■企画：総数16

空想動物遊園 2011
in みどり森

前年度のプロジェクト「空想動物遊園 in 寺尾中央公園」では、想像を超えた来場者が集まり大盛況であった。このプロジェクトの仕掛けを利用し、新潟市西区黒埼地区に新たにオープンする「みどりと森の運動公園」のオープニング事業にできないかと行政から依頼され、追加プロジェクトとして活動した催しが「空想動物遊園 2011 in みどり森」である。

この年は、内野町でのアートプロジェクトの定期開催の年でもあったため、年に2回のプロジェクトを開催した。タイトなスケジュールの中での企画であることを考え、前年の「空想動物遊園 in 寺尾中央公園」で出展した造形作品も加えながら、「みどりと森の運動公園」のオープニング事業でのにぎわいを作り出す仕掛けを新たに考えていった。

プロジェクトの構成を考案する中で、キーワードにサーカスという言葉が浮かび上がった。「みどりと森の運動公園」の広がりのある景色、スポーツ公園としての活動的情景を想像して、サーカスという非日常的な場での経験や感動のイメージを、造形表現を軸とする体験プログラムによって築き、「みどりと森の運動公園」の新たな門出を創出するといった構想を築いていった。

燦々と降り注ぐ光を利用した《星空テント》、《ヒカリどうぶつえん》、《巨大バルーン》や、野菜で作ったスタンプでの描画活動、巨大なシャボン玉アート、新潟市立青山小学校での出前授業で制作した全長18mの巨大アーチなどが出展され、子どもたちがわくわくして取り組むことのできる演出がなされた。

■会期：2011年7月16日～7月18日
■主催：新潟大学教育学部芸術環境講座、
　　　　新潟市西区役所
■会場：新潟市西区みどりと森の運動公園
■企画：総数14

うちのDEアート 2011
このゆびとまれ

　2011年は、今まで西区を舞台に行ってきた「西区DEアート」を、内野地区を核とした「うちのDEアート」に戻し、新たな形態を紡ぎ出した。

　2011年3月11日に東日本大震災が起きたことを受けて、「うちのDEアート」を自粛すべきかあるいは行うべきかを地域住民を交えて何度も話し合った。丁寧に準備してきた学生から「ぜひ実施したい」との声が多数上がった。そして学生を中心として、この震災に対し、地域でボランティア活動やワークショップ、募金活動などを積極的に行った。この経験値をもとにして「うちのDEアート」を実践した。

　2011年に関わってもらった内野町の人々は、酒蔵、菓子店、銭湯など、多岐にわたり、今まで「うちのDEアート」とあまり関わってこなかった人が新たに加わった。結果として、誰もが分け隔てなく参加するプロジェクトの形が実現できたといえるだろう。これを受けてプロジェクトの幅が今まで以上に広がったことは言うまでもない。

　この年の「うちのDEアート」は、2011年日本建築家協会まちづくり賞を受賞した。

■会期：2013年10月8日〜10月23日
■主催：新潟大学教育学部芸術環境講座、
　　　　夢アートうちの、新潟市西区役所
■会場：新潟市西区内野地区
■企画：総数31

いてぇもん物語 2012
おわってはじまる校舎の記憶

　2012年は「いてぇもん物語」を、新潟市西区板井地区にある旧板井小学校を舞台に行った。

　この年のプロジェクトは、2008年に同地域の複数の小学校が統廃合される形で開校した黒埼南小学校から地域連携の打診を受けて、2010年以来継続的にワークショップを行って地域と結び付いたことがその背景にある。旧板井小学校校舎は昭和24年に建て替えられて以来、2階建ての木造校舎として2004年まで使われていた。2013年に取り壊されることになっていたが、この校舎を舞台に思い出となるようなプロジェクトを行ってほしいと地域から声が上がり、これを受けてさまざまなプロジェクトを実践することとなった。

　プロジェクトを展開するにあたっては、地域の魅力を最大限見せるために、外から何かを持ってくるのではなく、あるものを再利用して、そこに流れていた時間に寄り添うことを大きなテーマとした。ちなみに「いてぇもん」とは、「板井者」を「いてぇもん」と発音したことに由来する。

　また2012年は新潟市において「水と土の芸術祭 2012」が開催された。芸術環境講座造形表現コースが、この芸術祭の教育プロジェクトに積極的に関わり、一翼を担った。

- ■会期：2012年9月29日〜9月30日　10月6日〜10月8日
- ■主催：新潟大学教育学部芸術環境講座、板井総自治会、黒埼南ふれあい協議会教育文化部会、黒埼南小学校、新潟市西区役所
- ■会場：新潟市西区旧板井小学校
- ■企画：総数17

うちのDEアート 2013
めくりめぐる、うちのまち

この頃には大学、地域、行政の連携も確固たるものとなった反面、新規性の欠如が目につくようになった。学生にとっては、伝統の継承が重くのしかかるようになっていた。他方、内野町商工会青年部をはじめとする新たな団体、商店、地域住民の参加や協力が得られたことは、この年の大きな成果といえる。また、例年の夏祭りへの参加などに加え、新入生が内野を知る機会として年度初めに「うちの散歩」なるイベントを催したり、名所や店などお薦めのデートコースを紹介する冊子『うちのDEデート』を発行するなど、町により入り込もうとする学生の姿勢が顕著にみられた。

その分、地域からの協力も従来になく広範囲に及んだ。例えば、住民組織夢アートうちののメンバーに、初めて会期中の会場スタッフに加わってもらったり、大掛かりな造作物の制作を手伝ってもらった。この年、かつて学生の企画として行われた《シンカワホタル》が夢アートうちのに引き継がれ、町主導のプロジェクトになったことも注目に値する。こうした中で、地域住民からも自分たちの職人仕事や作品を展示してみようとの声が上がった。これは2年後の「うちのDEアート2015」で実現することになる。

作品数が従来と比べて少なめだったこともあり、この年の出品作品はゼミを母体としたものが目立った。とはいえ、案内所や喫茶、石膏像を用いたプロジェクトなど、学年もゼミもさまざまな学生が携わる大規模な企画もあった。とりわけ案内所と喫茶で展開された活動は、そもそもの目的にとどまらない幅の広さが特筆され、さまざまな集いや交流が生まれた。

催しとしての表面上の派手さはなかったかもしれない。しかし、地域から一層の関与と協力が得られるようになった意味で、この年は一つの重要な画期だったといえよう。

- ■会期：2013年9月28日〜10月13日
- ■主催：新潟大学教育学部芸術環境講座、夢アートうちの、新潟市西区役所
- ■会場：新潟市西区内野地区
- ■企画：総数22

うちのDEあい 2014

　この年、「アートクロッシングにいがた」としての活動が15年目を迎えた。これまで開催規模や形式を変えながらアートプロジェクトを継続してきたが、長い月日の中で内野の住民と大学の関わり方も年々変化しており、大学教育の一環としての立場やアートを発信する意味など、何らかの形での区切りと総括が求められつつあった。その気運の中で設定された「うちのDEあい」というタイトルは、「愛」「I」「eye」「出会い」等々、さまざまな「あい」に、「人」とのつながりや関係性に焦点を当ててアートプロジェクトの本質に迫ろうとするものであった。そのために二年続きの企画として本年度を立ち上げ、次年度へつなげていく意味を込めて構築している。

　企画としては、まず内野駅前の十字路「四つ角」交差点に設置したインフォメーションセンター《ちやほや》が、「あい」のイメージを象徴的に形象化していた。川と交差のイメージから文化拠点としての役割を演出したもので、実際、企画の紹介を通して人々が行き交い、出会う場が形成された。

　今回は学生の企画による作品やワークショップが充実しており、内野中学校と二年間の連携として構想した《葉っぱだらけのお星様》をはじめ、CM動画や造形遊びなど、ものづくりの意義を感じさせるものが多かった。また、ワークショップからインスタレーションへ展開した《花紋》や、塩川酒造とコラボレーションした日本酒「新雪物語」など、どの企画にも地域と人々をつなげる仕掛けが意図されていて、学び豊かな造形体験が演出されていた。さらに、アーティストトーク「アートと地域社会の明日」でも、茂井健司氏と佐々木秀明氏から、アートがもたらす希望が語られた。

　総じて次年度へつなげる伏線があちらこちらに張られ、次年度への期待感を共有できたように思う。

■会期：2014年9月20日〜9月28日
■主催：新潟大学教育学部芸術環境講座、
　　　　夢アートうちの、新潟市西区役所
■会場：新潟市西区内野地区
■企画：総数21

うちのDEアート 2015
うちの栄養補充計画！

　大学側では15年続いた「うちのDEアート」の幕引きも意識に上るようになった年のプロジェクトであった。そんな中、学生企画も縮小気味で、全体としては薄味のものが多かった。それを考えるとサブタイトルに謳われた「栄養」は、かなり意味深長である。表の意味は「自分たちがアートの力で町を元気にする」ということだが、うがった見方をすれば、栄養が欠乏気味なのはむしろ実施主体の大学側で、それに栄養を補充してくれるのが、住民や行政であり、ＯＢや外部の団体であるという解釈も成り立つ。それほどこの年は、大学外の力が発揮されたという事であり、その事自体は本来の「うちのDEアート」が思い描いていた理想に照らすと、評価され得るといえる。学生が住民にアートを提供するのではなく、「うちのDEアート」に参加する誰もが主体になるべきだという理念はずっとあったからである。

　具体的には、住民NPO「夢アートうちの」からの提案で、町の特色を上手く活かした《うちの七人の職人と新大美術科のたまごたち》というコラボ企画が実現した。また、「うちのDEアート」と、日本美術院とキヤノンによる「綴プロジェクト」の連携企画として、長谷川等伯《松林図》の精密複製画を中心とした「NIHONGAタイムトラベル」が行われた。そして、かつて第1回および第2回の「うちのDEアート」では学生として参加したアーティストユニットが、3Dプリンターを使ったフラクタルの《MORI》で、社殿空間を効果的に使った幻想的な光のインスタレーションを行った。最後に、学生企画の中にも妖怪伝説をテーマにした《うちの出会ひしるまじ》など、見るべきものが幾つかあったことも付言しておく。

■会期：2015年9月26日〜10月11日
■主催：新潟大学教育学部芸術環境講座、
　　　　夢アートうちの、新潟市西区役所
■会場：新潟市西区内野地区
■企画：総数28

うちの開花宣言 2016

　「うちの開花宣言」は、内野まちづくりセンターの開設を記念するイベントとして、大学と新潟市西区、内野・五十嵐まちづくり協議会が連携する形で、内野まちづくりセンター、清徳寺、JR内野駅を会場に開催された。

　「軽やかで華やかな色彩を内野の秋におくりたい」。このような主旨のもと、これから文化の拠点として活用していく施設を花の開花になぞらえ、開花をテーマとした美術科の学生の作品展示やワークショップ、ダンスパフォーマンスなどで施設を彩ることとなった。

　また、本施設のさまざまな活用方法と、大学の今後の地域連携の方法を模索すべく、工学部と教育学部が連携した企画《YURAGI》や教育学部音楽科主催のミニコンサート「American Dream Concert」、公益社団法人日本美術院の地域連携教育プログラムとの協働で行った「NIHONNGAタイムトラベル2」をはじめ、地元のハンドメードサークルの出店など、教育学部美術科以外にも多方面からの

参加が得られたことも大きな特徴である。

　今回のプロジェクトでは、過去15年間の活動を振り返るという目的のもと、芸術環境講座の造形分野、いわゆる「美術科」がこれまで15年にわたって開催してきたアートプロジェクトを振り返るパネル展示やシンポジウムを開催したこともまた、大きな特徴の一つといえる。

　本プロジェクトは、アートを通して内野を巡る、これまでとこれからが交差する場を提供することで、今後の地域、大学、行政の新たな協働の萌芽としての役割を担った。

■会期：2016年10月31日〜11月6日
　　　　※清徳寺会場は10月22日〜
■主催：新潟大学教育学部芸術環境講座、
　　　　内野・五十嵐まちづくり協議会、
　　　　新潟市西区役所
■会場：内野まちづくりセンター、JR内
　　　　野駅、清徳寺
■企画：総数22

第 2 部

VOICE 地域からの視点

シンポジウム
「うちのDEアート」地域におけるアートの役割

　2016年11月5日、アートプロジェクト「うちの開花宣言」の一環として、内野町に新たに開設されたうちのまちづくりセンターを会場に、シンポジウム「うちのDEアート 地域におけるアートの役割」が開催された。本稿はその記録である。

　実は同日、このシンポジウムの前に「分野融合によるプロジェクトの可能性：事例紹介UCHINO Sake Project」、「『うちのDEアート』とこれからの美術教育」と銘打った、別の二つのシンポジウムが行われた。前者は本講座の橋本学を司会に地元産業との連携の観点から、後者は本講座の佐藤哲夫を司会に、教員養成の観点から「うちのDEアート」を振り返るものだった。産学連携や教員養成が、このプロジェクトの一翼をなす重要な要素であったことは事実だが、より巨視的に捉えるならば、「うちのDEアート」の15年は、内野の住民との関係づくりの歴史であったといえよう。それゆえ、この日の最後に15年を総括するシンポジウムとして、これまでに「うちのDEアート」に携わってきた当時の学生、内野町の住民代表、行政、

そして美術館学芸員に登壇を依頼し、本講座の丹治嘉彦の司会により、それぞれの立場から地域とアートプロジェクトの関係を振り返るシンポジウムを開催した。先の二つのシンポジウムについては紙幅の都合で割愛せざるを得ないが、この日最後のシンポジウムを、質疑応答を含めてここに採録することにした。

　今回の登壇者は計6名である。発表順に、まず当時の学生として、2007年に新潟大学に入学以来、数々のプロジェクトに関わり、「うちのDEアート2011」の学生執行部を務めた小林（旧姓鈴木）美果氏、2004年に新潟大学に入学し、「うちのDEアート2005」から関わった横尾悠太氏の2名が当時を振り返った。小林氏は現在、新潟市こども創造センターに勤務、新潟市の「みずっち市民サポーターズ」も務める。横尾氏は、NPO法人越後妻有里山協働機構に勤務し、「越後妻有 大地の芸術祭」の運営に関わっている。

　住民代表としては、夢アートうちの代表の長谷川酉雄氏と、同メンバーの玉木晴夫氏にお話しいただいた。玉木氏は内野町で

表具店を営み、「うちのDEアート2003」の折には学生の企画による「うちの大学」において、講師としてトークセッションに登壇してもらったこともある。また、内野で我々のアートプロジェクトが行われる度に、夢アートうちののメンバーとともに、陰に日なたに学生たちの活動に手を差し伸べてくれた。

行政の側からは、新潟市西区役所地域課係長の渡辺希氏に登壇してもらった。「うちのDEアート」に行政が関与するようになったのは、新潟市が政令指定都市に移行した2007年以降である。渡辺氏は2012年に現在の部署に異動して以来、行政の立場からこのプロジェクトを支えてきた。

そしてこの日最後のシンポジストは、現在、新潟市美術館学芸係長の荒井直美氏であった。荒井氏には、新津市美術館（現、新潟市新津美術館）勤務当時の2003年以来、「うちのDEアート」の一環で行われたトークセッションでの講演や、招聘アーティストの選定や学生の作品制作でのアドバイスなど、多大な協力を仰いできた。荒井氏は大学にも地域にも行政にも直接的に

は属さない立場である故に、第三者的な視点から発言してもらった。

1. 趣旨説明（丹治嘉彦）

「うちのDEアート」は2001年以来、ほぼ隔年で15年にわたり行われてきましたが、今年をもって幕を引くことになりました。この15年の間、さまざまなことが内野町で起こりました。また、大学という研究教育機関の中で内野町と関わったことが財産となり、優秀な学生がたくさんこの「うちのDEアート」を通して巣立っていったと感じているところです。

ところで、新潟大学五十嵐キャンパスには約1500人の教職員がいて、研究並びに教育の場として活動しているのですが、そのお膝元の内野町を見ると、なかなか大学近隣の町としての風情が感じられません。こうしたことから、ちょうど2000年頃、新しい表現フレームとして、大学から外に出てアクションを起こしてはどうかと考えるようになった、そのような記憶があります。ちょうどその頃、今横尾氏が活

動している十日町市を中心に、「大地の芸術祭」という大きなアートイベントが立ち上がりました。それに触発されたことは言うまでもなく、それが2001年に「うちのDEアート」を始めることになった直接的な契機であったと理解しています。

　その後このプロジェクトは、紆余曲折を経て今日に至っているわけです。例えば途中で名称が「西区DEアート」に変更になったり、あるいは当初隔年で行われてきたところに、その狭間の年にも内野以外の場所も会場として、プロジェクトが開催されるようになりました。例えば寺尾中央公園や西区板井地区など、西区各地でプログラムが組まれました。こうして頻度、開催地ともに拡大してきたわけですが、今年をもって一連の「うちのDEアート」というプロジェクトは一旦幕を閉じることになりました。その総括として、「うちのDEアート」とは何だったのか、という問いを、シンポジストの皆さんや会場の皆さんとともに考えてみたいと思います。

　まずは各シンポジストの方々から、「う

ちのDEアート」での活動や、ご自身の思いについて一言お話しください。

2．小林美果氏

　私は2007年に新潟大学に入学し、2011年の「うちのDEアート」の時には大学院１年生、副実行委員長と運営事務局長を務めました。この年のロゴが今スクリーンに映っているものです（P.32参照）。

　先ほど丹治先生も触れておられたように、「うちのDEアート」は「西区DEアート」と名称を変えていた時期がありました。私が入学した2007年は、ちょうど新潟市が政令指定都市に制定されたときで、「西区DEアート」に名前が変更された年でした。私は2007年からずっとこのアートプロジェクトに携わり、大学院に進んだ2011年、西区から内野に帰ってこようということで、名称が「うちのDEアート」に戻りました。この背景には、名称が一旦「西区DEアート」になった際に、内野町の方から「内野という名前がなくなってしまった」「自分たちのものではないような気がする」

という声を頂いていたことも一因としてありました。私にとっては入学したときから「西区DEアート」でしたが、「うちのDEアート」という名前が町の人たちにしっかりと受け入れられているのだなと感じたことを今でもよく覚えています。

さてこのロゴは「うちのDEアート」に戻ったときのものです（P.32）。この年に新たに考えました。今までのつながりや、これから続いていってほしいもの、内野町にある何か特徴的なものをこの形に込めました。高尚なアートではなく打ち解けた形で、このアートプロジェクトが町の人たちとフランクに関わっていけるようにという思いがありました。

この年のテーマは「このゆびとまれ」でした。内野にまた戻ってきたということだけでなく、この年は、皆さんご存知のように、東日本大震災がありました。私たちが町でやっているアートプロジェクトに何ができるか、どんな意味があるかを必然的に考えさせられる年だったわけです。ロゴには「言葉を越えるエネルギー」と添えられ

ていますが、アートには、作る、展示する、見る、参加するといういろいろなところで喜びを共有したり人と人が出会ったり、今まで気付かなかったことに気付いたり、という側面があります。言葉で話すのではなく、アートがあるからそこに人が集まり、何かを感じる、そういうエネルギーを町に作り出したいと思いました。震災があったことで考えたのは、やはりつながりでした。何かあったときに協力し合える、助け合える関係が必要だと思ったのです。私たちは実際に震災の現場でそれを体験したわけではありませんが、震災発生直後の時期に考えたのが「このゆびとまれ」というテーマでした。

この年の特徴として、震災直後ということで、チャリティープロジェクトがありました。従来からプロジェクトの中で物販も行っていましたが、この年はその売り上げをチャリティーに充てようということでグッズを作って販売しました。例えば内野のポストカードや、アート作品が出てくるガチャガチャを作って設置したり、それから夜にカフェを開いてそこで販売もしまし

た。この年は、とにかく町に人が出てくることを考えました。インフォメーションセンターも、町の中に人を呼び出す仕掛けとして作ったものの一つです。ここでは地域をアピールしようと、お土産の販売やお店の紹介をしたり、昔の内野町の写真を町の方から頂いて、町の歴史を振り返るコーナーも作りました。

　町の中を飾り付けて町全体を活気付けることも目指しました。一つの例として、こんな作品がありました。本物のポストの隣に、ちょっとゆがんだ偽物のポストを置いたのです。普段の町に異様なものが出てくると目につきますよね。話題が話題を呼び、ちょっと見に行こうかな、と外に出てくるということになるわけです。別の作品では、跨線橋の下に、映像を映写することによって今までなかった風景が広がりました。それまでただ通り過ぎていた場所に、映像を見ようと人が寝転んだりするわけです。このように、今まで気付かなかった町の各所に目を向けて足を向けてもらう、これが私たちが最も目指したものでした。

　もう少し具体例を紹介しましょう。人が集まるところには笑いがあるだろう、ということで落語研究会とコラボしたり、これまで夜にやっていたオープニングレセプションを、多くの人が参加できるよう、朝、内野駅前で始めたり、ファッションショーの形式で会期中の企画を紹介したり、あるいは作品を皆で回るツアーも行いました。「内野花子」というキャラクターに扮して自転車で町中を巡るパフォーマンスをした学生がいたのですが、気が付くと子供たちが付いて回る光景もよく見られました。

　以上、2011年に行った新しい試みを伝えてきましたが、つながりというのは、これからつくっていくものだけでなく、今までつくられてきたつながりがすごく大切だと思っています。私がプロジェクトに関わり始めたのは2007年ですが、2001年から積み上げてきた先輩方や町の人たちのつながり、場所、そういうものを大切にしなければなりません。《シンカワホタル》はその代表例です。これは2007年、町の人たちと話をしていて、昔やっていた灯籠流

しを復活させたいということで始まりました。試行錯誤を重ね、長谷川酉雄さんをはじめ多くの方にご苦労をおかけしましたが、今では夢アートうちのの皆さんがずっと続けて行ってくださっています。

　2011年に行った《うきしま》も2005年から続いているものです。町の中にプランターを並べました。

　風車のイベントは、2008年「西区DEアートプチ」のときに内野の飾りを作ろうということで、内野町に合う飾りのコンペをやったことが始まりです。風車が1位になりましたが、その後続いていないということだったので、2011年にきちんと風車で町を飾り付けようということで行いました。

　つながるということは「人がつながる」ということですね。人がつながるためには、さまざまな人たちを受け入れる場所が必要だと思います。この年には片桐萌さんが、子どもたちが集まる秘密基地を作るという企画を新川公園予定地で行いました。また、日本画の学生が空き家で人をもてなすような空間を作りました。

　こうしたことが可能だったのは、空き地や空き家を貸してくださる皆さんがいらっしゃるからです。私たちがやっていることを理解してくださり、「じゃあ、ちょっと挑戦してみたら？」と受け入れてくださる。私たちが何か企画をできるのは、「うちのDEアート」を行う学生が町の人たちに本当に受け入れられたからで、これが一番大切だと思います。私たちはそういうことをやってきたけれども、それ以前につながりをつくってきた先輩方や町の人たちという存在が、アートプロジェクトを行う大前提としてあり、アートプロジェクトとはそこに構築されていくべきものではないか、ということを大学を卒業してからよく感じます。

　今スクリーンに映っているのは「うちのDEビアガーデン」の写真です。2011年に内野駅前で内野商工会の方々がビアガーデンをする際に、この年の秋に「うちのDEアート」があるのだから、そのロゴを使って名称もそれに合わせよう、と声を掛けてくださったのです。私たちの活動からこうして声を掛けてくださり、また生まれ

てくるものがある。これは私たちにとってすごく嬉しいことですし、それを続けてくださっている町の方々のご厚意や努力が本当に町の力だと思います。

　私自身はもう大学を卒業し、子どもに関わる仕事をしていますが、仕事とは別に「水と土の芸術祭」の市民サポーターズに関わっています。先ほどご紹介した《シンカワホタル》も今、「水と土の芸術祭」の市民プロジェクトとして毎年開催されていますので、今でも長谷川酉雄さんにはお世話になっています。その他、「新川町おこしの会」さんや現在改装中の飯塚商店というお米屋さんなど、町の中で起きている動きに今もこうして関われることが私自身、幸せだと思っています。

3．横尾悠太氏

　私は現在、新潟県十日町市で開催される「大地の芸術祭」という芸術祭に関わる仕事をしています。大地の芸術祭は、十日町市と津南町を舞台に3年に1度行われる現代アートの祭典で、過疎化の進む農村部の

魅力の発信や、来場者と地元の交流などを通して地域活性化を図るというアートプロジェクトです。その拠点施設の一つ、まつだい「農舞台」という美術館の施設担当をしています。これは、農耕と文化をテーマに地域の暮らしをアートの視点から発信するというコンセプトの施設です。

　私がこの施設を志したきっかけとなったのが、「うちのDEアート」でした。私は大学で美術を学びたくて、2004年新潟大学教育人間科学部の時代に芸術環境創造課程造形表現コースに入り、丹治先生の研究室に進みました。アートの裾野が非常に広がる中で、色々なアートの形態を見ておきたかったので、とにかくアートと名がつくものに積極的に関わり、プロジェクトにも1年生の段階から積極的に関わりました。

　特に「うちのDEアート」は大学から非常に近くてよく通ったところで、思い入れが強いプロジェクトでした。「うちのDEアート」には2005年に、そして「西区DEアート」になって2007年から2009年まで主に関わりました。とにかく地域を理

解することから始めたのに、その頃はお祭りのお手伝いばかりでした。でも、それが地域との関係づくりだと理解できました。

　この写真はお祭りの初日です。民謡流しです。私は内野一番町に関わっていまして、最初の日、青年部の仲間に入れてもらい、非常に楽しかった思い出があります。

　「うちのDEアート」は、学生がプロジェクトを運営すると同時に、作品の制作も行うというのが特徴だと思います。私も運営会議を町の人と行いながら作品制作も行いました。次の写真は2007年、一番町の跨線橋下で発表した《in the light》という作品です。主に映像作品を作っており、スクリーンに自分が映ることでリアルタイムで映像が変わっていくという作品です。展示していると地域の人が集まってきて、ああでもないこうでもないと作品について皆さん感想を言ってくださいました。作品を見ながら感動の共有ができたことが自分にとってアートを目指す礎となり、貴重な経験となりました。

　地域のお子さんをはじめ多くの方が集まってくれた作品や、次の写真は2009年の作品で、四つ角にあるさくえみテナントに展示した《mooring》、「つながり」という意味の作品です。これを作った頃、地域と関わっていく中で、作品内で何か人と関われないかと思い始めていました。そこで地域で歩いている人の動画を撮らせてもらって、歩く部分を抽出し、テナントの梁（はり）を道路に見立てて歩かせた作品です。来場者がリアルタイムに映し出されて、歩いている人たちが自分の前を通り過ぎるという仕掛けで、地元と来場者につながりを持たせるというコンセプトがありました。このテナントの存在は町の人からも忘れ去られており、作品展示をしたことで場所の記憶がよみがえったと言う人もいました。

　こうした経験から、アートが地域にもたらすものとして、地域の魅力、場所の再発見、人の交流による爽やかな感動の共有を実感しました。こうした取り組みを「うちのDEアート」として15年続けてきたわけですが、今日久々に内野に来てみると、当時よりお店が増えていました。お店に少し

は活気が戻り、地域活性化の一助になっているのかなと感じています。

　私の場合、学生時代に培ったアートの見識というのは現在の職業に役立っています。大地の芸術祭の作品は、その場でしか成立しないものが多いです。これは地域の魅力、場所の再発見につながるものだと思います。例えば次の写真、農舞台から見ることのできるエミリア・カバコフの《棚田》という作品です。昔の農耕風景をオブジェにして、手前のテキストを照らし合わせて見るという立体作品になっています。ちょうど川が流れていまして、川の音や風の音を感じながら見る。そういった環境全部が作品として成立しているものです。

　農舞台周辺にはさまざまな作品があります。田中信太郎さんのトンボの作品、草間彌生さんの《花咲ける妻有》、トビアス・レーベルガーさんの《フィヒテ》。彼はドイツ出身で、ドイツの書籍を棚に集めまして、森の図書館として展示しました。

　こうした設置作品の他に、作家さんとのワークショップなども行っています。地域

との協働により、参加者には爽やかな感動を与えて、地元の人たちには地域に生きる原動力を与えることができると考えています。次の写真は、夏に行った《どうしてみんな花が好き？》という花をテーマとした作品です。この地域では花をよく植えます。径庭と呼ばれるものですが、道端、玄関に入る前とか、そのちょっとした空間に花を植えて、来た人を楽しませたり、自分が楽しんだりする。花が身近にある地域です。そこで次のようなワークショップを行いました。写真は上野雄次さんという華道家さんによる、車の屋根上にオブジェ、庵のようなものを置いた作品です。この中でワークショップを行いました。作家さんの希望としては、華道家さんなので花を活けて地域の方々とお茶会をしたいという要望がありました。それで、実際に地域の方を集めてお茶を点てていただき、ちょうど来た来場者に入ってもらいお茶会を開催しました。

　写真はイベントに参加していた着ぐるみの羊さんです。その隣に地域のお茶会の主要メンバーがいます。最初に話を持ち掛け

た時は、「横尾さん何考えてるの？私たちのお茶の方式もあるし、車の屋根の上のような危険なところではできない」と言われてしまいました。この写真のおばあさんには、「2カ月前まで入院していたので体調も考えて行きません」と言われました。でも丁寧に説明しながら実際に来ていただき、上にも乗ってもらいました。「すごい涼しいんですよ」と言うと、実際に乗ってくださり、「あら良いわね、やってみようかしら」ということに。このイベントは盛況に終わりました。最後にみんなで笑顔で車の前で記念撮影しました。

　大地の芸術祭は「うちのDEアート」より少し規模が大きいのですが、「うちのDEアート」で学んだ要素はアートプロジェクトを行う上で普遍的なものだったと思います。いろいろな問題もあるかとは思いますが、今後、地域とアートの可能性を探る上でも「うちのDEアート」は是非残してほしいと個人的には思います。

4．玉木晴夫氏

　私が長谷川酉雄さんに誘われて夢アートうちののメンバーに加わったのが、2003年、「うちのDEアート」第2回目のときです。大澤弥生さんが企画した《うちの大学》で、モノを生み出すことを生業としている内野の住民4人のトークセッションをお願いされまして、私が一回目に当てられたわけです。私の他に、小林仏壇店の小林清則さん、伊藤酒造の杜氏の金子彦治さん、それから芥川作家の藤沢周さんが行いました。

　この時はまず私の場合、作品の紹介をして、それから職人が使っている特殊な道具をいろいろ学生さんに説明をしながら見てもらいました。皆さん見たことのない道具がたくさんあって、かなり興味を抱いてくれました。これが「うちのDEアート」での学生さんとの関わりの始まりでした。

　これをきっかけに、関わりが広がりました。昨年、ある学生さんが《OROCHI》という作品を作ったのですが、蛇腹になるように和紙を張るのが難しくてなかなかうまくいかないと、私のところに来ました。

それで紙の張り方を教えたりもしました。今、その学生さんは、卒業して福島で和紙工房に勤めているという話を聞きました。一生懸命頑張っているそうなのでよかったと思っています。今では「うちのDEアート」がある年には、必ずといっていいほど学生さんが「こういうことやりたいんですけど、どうすればいいですか」と尋ねて来ます。そこでいろんな人との出会いが始まりまして、私としても今までにない経験ができました。

また、2005年には海外アーティストのジュリアーノさんを自宅の夕食会にお誘いしました。私の孫を膝にのせて楽しそうに食事をし、お酒も飲み交わしました。海外のアーティストさんと酒を酌み交わすなんて、私どもにとっては滅多にない感動する経験をしました。

「うちのDEアート」がなくなることは、私にとってかなり寂しいことです。この動画を撮ったときのように、今も息子と一緒に仕事をやっていますが、「うちのDEアート」を通じて本当に数多くの学生さんとお知り合いになりましたし、これは記憶に残しておきたい大切な経験です。

5．長谷川西雄氏

思い起こすと2001年でしょうか、私が旅行中に電話がきて、明日がオープンの日なのに作品を飾る会場がなくなったと言われたのが始まりでした。私は画廊をやっていたので、そこを貸してほしいというのです。すでに画家の作品が飾られていたので、それを撤去しなくてはなりません。全部元に戻すなら、と話をしました。

翌年、丹治先生が訪ねて来られて、作品の展示場所のことで協力を求められました。第一回の時のようなトラブルを防ぎたいということでした。町の人はアートの受け入れ方を知らないし、学生さんたちの思いも分かりません。学生の説明もうまくいかないとのことでした。そこで私は仲間を誘って学生に協力することにしました。大学が自分たちの方から町に下りてきてくれる、これはとても良いことで、町の商売も発展させられるだろう、大学の

方から話が出ているのだから、ぜひともこの話に乗ってほしいと頼んで回り、仲間を募って組織を作りました。玉木さんや大口屋さんなどが協力してくれることになりました。

　当初の問題は、やはり信頼関係にありました。学生から地域の人への説明が足りていなかったのです。そこで私たちは学生さんを地主や家主、商売をしている人たちの元へ直接連れて行きました。学生さんから活動の説明をしてもらい、場所を借りるときには私が責任を持つから貸してやってほしいと頼み、内野の人たちから少しずつ了解を得ていきました。

　学生さんたちも、その時は本当にやる気にあふれていて、一生懸命作品の展示について説明とお願いをしていました。しかしそれだけでは足りません。町で何かをやるためには、各自治会、町内会長、各商店街会長に挨拶をするといった手続きが必要です。もちろんそこにも学生さんを連れて行き、一緒にお願いしました。こうした手順を省略して何かを行おうとしても、トラブ

ルが発生します。町で生きてきた者として、あそこのじいちゃん、ここのばあちゃんの性格はどうだこうだと分かりますから、学生たちには交渉の仕方をアドバイスしました。こうしてルートができると、私たちがいなくても学生さんたちだけで話がつけられるようになっていきました。

　作品制作でも力を貸しました。大きな望みを抱いていても、実際にそれを設置する時に自分たちではうまくいかないことがあります。それを私たち住民や夢アートうちののメンバーが真剣に手伝いました。特に大変だったのは《シンカワホタル》です。今は私たちがやっていますが、当初は学生の発案でした。学生から、内野町の風習を尋ねられ、灯籠流しがあった、花火も上がった、民謡流し（盆踊り）もあったし、夜桜見物でぼんぼりも立った、といった話をしました。そうしたところ、一人の女子学生が、灯籠に似せたものを川に浮かべたいと言い出しました。川面に揺れるホタルのように電球を浮かべることを思いつきました。発想はよかったのですが、手段が大

変でした。最初はストローの中にLED電球を入れようとしましたが、水に浮かびません。そこで竹やアシを使うことを提案しました。ところが流してみると、水流が強くてうまくいきません。アシの長さをいろいろと変えて工夫しました。実は私、自宅の風呂で何度も実験をしました。そしてよい方法を見つけ出して学生に教えました。

アシの調達も一苦労でした。私たちがトラックで刈りに行き、トラック1台山盛りに積んで帰ってきました。それを私の仲間たちや学生さんたち皆が手伝ってくれて切りそろえました。春に始めて10月までかかりました。

当日はLEDの持続時間の問題もあって2時間流しただけで引き上げました。それがまた大仕事でした。水の力が強くてなかなか引き上げられませんでした。糸が切れたり、ゴミや藻が絡まって重くて臭くて、それはもう大変でした。散々いろいろとやらされて大変でした。でも、この《シンカワホタル》は本当にきれいでした。こうした苦労も、今はよい思い出です。学生さんた

ちと一緒にやれたことが嬉しいのです。

私は「うちのDEアート」にほぼ15年関わり、その時々にいろいろな苦労をしました。だからこそ今、それを残したいという思いでいっぱいです。ところがそれが当事者以外の事情で継続困難な状態です。こうして長年、縁の下の力持ちとして支えてきた側から言うと、やっと地域に溶け込み、住民の理解が得られるようになったと思ったのになぜ、という気持ちです。その一方で、最近の学生さんたちの作品を見たり考えを聞いたりする中で、そろそろ終わりになる時期という気もします。スタートの頃の学生さんたちとはかなり違ってきています。それは時代の流れとしてやむを得ないことであるし、文科省の大学改革も時代の流れでしょう。

しかし、私たちは《シンカワホタル》を学生から受け継ぎました。65歳を過ぎた面々がいつまでやれるか分かりませんが、私たちには夢があります。灯籠流しにせよ、花火、盆踊りにせよ、私たちは先人から受け継いできました。故郷、内野にはこうし

た楽しい思い出がありました。町の絆が薄れてきた矢先、学生さんたちがそれを呼び起こしてくれました。それが「うちのDEアート」でした。その中から生まれた《シンカワホタル》を私たちが受け継いで、お盆の間に故郷に帰ってくる子どもたちに思い出として残してあげたい。この思いを仲間に話したところ、皆が理解してくれました。そしてこれは私たちが引き継いでからもう5年も続いています。私たちがやっているものはアート作品ではないかもしれませんが、祭りのようなイベントとしてでよいので、子どもたちの心に何かを残したいのです。

　私たちの「新川ほたる」の認知度も上がってきました。昨年の来場者が約10000人、今年はオリンピックの影響で減少が見込まれましたが、9500人ほどが見に来てくれました。点灯時間は毎晩2時間のみですが、8日間で10000人もの人が来るイベントは、今「新川ほたる」しかありません。私たちはこれを引き継いだことを誇りに思っていますが、やはり年齢を考えると先行き

が不安です。ぜひ学生さんたちには、今後とも私たち住民に知恵や力を貸してもらえたらと思います。在校生も卒業生もいつでも内野の町に帰ってきてください。今後ともどうぞよろしくお願いします。

6．渡辺希氏

　私は西区役所の文化スポーツ係長をやっており、アートや芸術の専門家では全くありません。ただの一般職です。いってみればたまたま異動でここに来て、内野の方々や新潟大学の方々と一緒に仕事をさせてもらっています。でも、皆さんと仕事をすることが楽しいです。ただ今、司会の丹治先生から投げかけられたご質問への答えがこれです。学生さんや地域の方々をはじめ、いろいろな人と一緒に新しいことをやっていく、作り出していくということが楽しいのだと思っております。

　私は2012年からこのアートプロジェクトに関わるようになり、今5年目です。そうした立場から発言させていただきます。

　私は行政の立場で関わっているので、「う

ちのDEアート」がもつ行政にとっての意味を考えてみました。西区は文化芸術活動が盛んであるという特徴がある区です。そうした区内の文化活動の活性化や地域の活性化、文化芸術意識の向上を図ることを目的として、西区役所は「うちのDEアート」をはじめとするアートプロジェクトを行っています。西区には、新潟大学という総合大学がありますから、区役所としては大学との連携も重視しています。

　西区役所が大学とともに行っている芸術関係のプロジェクトは二つあります。一つ目、音楽分野では、新潟大学教育学部の音楽科と西区役所で実行委員会を立ち上げて、共同企画のコンサートを通年で開催したり、楽器体験のワークショップなどを行ったりしています。そして二つ目、造形分野では、新潟大学教育学部の美術科と西区役所、そして長谷川酉雄さんたちの夢アートうちのといった地域の住民団体とともに実行委員会を立ち上げて、「うちのDEアート」などのアートプロジェクトを行っています。

　内野地区をはじめとする造形分野のプロジェクトでは、区役所としては特に地域との関わりを重視しています。狭義の「うちのDEアート」は内野地区だけが会場ですが、寺尾や板井など、各地でイベントを一緒に開催してまいりました。地域重視であることから、単に学生や先生、招聘作家の皆さんの作品を展示するだけでなく、地域の皆さんと一緒に考え、汗を流しながら、まさに今、長谷川さんや玉木さんが述べておられたように、我々も含めて皆が一緒になって開催してきました。こうした点に、我々行政として事業に資金を拠出する意義がある、私はこのように考えています。地域を巻き込んで一緒に事業を進めるということで、地域の課題解決や活性化につながったり、ひいては区内の文化芸術意識の向上につながることを西区役所では期待しています。

　そういう意味で、長谷川さんたち夢アートうちのという住民団体が組織されたことは、このアートプロジェクトにとって非常に重要な点だったと感じます。新潟市は、政令指定都市に移行した2007（平成19）

年度からこの事業に参加させてもらっています。しかしご承知の通り、長谷川さんたちはもっと早く、第2回目の「うちのDEアート」から参加しておられると伺っています。これはやはりアートの力が、内野の人々、地域に影響を与えて動かした結果ではないかと思います。先ほどの長谷川さんのお話を聞きながら、そう思います。

ご承知の通り、《シンカワホタル》という作品が「うちのDEアート」から生まれ、今は長谷川さんたちに引き継がれて内野の夏の風物詩になっています。これもアートプロジェクトの大きな成果であり、夢アートうちのは、逆に「うちのDEアート」にとって欠かせない存在になったということでしょう。

もちろん「うちのDEアート」は地域にとって大きな意味があり、（2011年以来、住民に移管された）「新川ほたる」の他にも、学生が地域に入り祭りに参加したとか、地域の子どもたちがワークショップに参加するといった活動によって、内野という地域に新しい風が入ってきて、新しい出会いがあり、夢アートうちのの誕生のような新しい動きがさ

ざまなところであったことと思います。

これまでの登壇者の皆さんのお話からもうかがえるように、順風満帆に進んできた訳ではないでしょう。衝突とか悩みとか、そうしたものを乗り越えてきたのだと思います。しかしそれによって、確実に内野という町が変化してきたのではないでしょうか。

また、もちろん学生にとっても「うちのDEアート」は非常に良い経験だと、個人的に思います。大学の中から外に出てきて活動の場を広げ、さまざまな人との交流を通して考え方を豊かにし、アートを媒介に地域の人々との交流を進めることがそもそもの目的だったと聞いています。そして実際に学生たちは町に飛び出しました。

新潟大学は地理的に内野に近いのですが、学生たちはあまり内野という町を意識してこなかったのではないかと思います。私も新潟大学の卒業生ですが、内野町に来たのは、4年間でほんの数えるほどだったと記憶しています。

逆に、これは内野に住んでいる人たちに

とっても、「うちのDEアート」が始まる以前は同じような意識だったのではないでしょうか。ああ、あそこに大学があるな、というだけの感覚です。しかし「うちのDEアート」という事業が始まったことにより、交流が生まれたわけです。この交流が学生たちにとって非常によい経験だと思うのです。

長谷川さんのお話にあったように、こうしたイベントを開催するには、さまざまな問題があります。展示場所の確保、町の歴史への理解、あるいは玉木さんのお話にあったように、作品制作においての技術的な壁などです。そういったものを学生が地域の大人たちと一緒に解決していった経験は、必ず社会に出てから活きてくると思います。

私自身は、「うちのDEアート」の舞台である内野町を、非常に面白い町だと感じています。造り酒屋の建物もありますし、神社やお寺が多い町との印象を持っています。それから、おそらく人口の割に飲食店の数が多いですね。そして何より、表具職人の玉木さんをはじめ、お豆腐屋さん、お風呂

屋さん、酒屋さん、お花屋さんなど、個人商店がまだ町の中に元気に存在しています。これが内野の町の大きな魅力でしょう。

神社やお寺は町内ごとにあるようですね。このことは、町の人たちがこれらを大切に守ってきたことの証しでしょう。「うちのDEアート」の時期に、夕方、町を歩いていて、ふと子どもたちが小さなお宮の公園で遊んでいるところを見かけたりしました。そういう光景を目にして、とても懐かしいというか温かい気持ちになりました。内野はそういう町なのだと思います。

少し話がずれますが、先日の新潟日報夕刊に、内野には紹介したい人やお店が多過ぎるほどあると書いた記事がありました。この記事の中で、取材を受けたのに記事にならなかった店の一つが、内野を取材した記事を店に張り出し、内野をこんなに取り上げてくれてありがとうと言っていた話が紹介されていました。自分の店が載っていなくてもです。「うちのDEアート」というこのイベントも、こうしたさまざまな温かい出会いや多くの人の物語などのきっかけ

になっていたように思います。それ故に、これは行政にとってだけではなく、多くの人にとって意味のあるアートプロジェクトだったのでしょう。

　「うちのDEアート」はこれで終わりといわれていますが、今後も、形や方法は変わっても、我々西区役所としては引き続き大学や地域と一緒に文化活動の活性化や文化芸術意識の向上を図る事業を続けたいと考えております。

7．荒井直美氏

　今、丹治先生からご紹介の通り、これまで何かとお声掛けいただき、招聘アーティストを紹介したり、学生の皆さんの企画発表会などに呼んでいただいたりしてきました。部外者というとかえって失礼になるのかもしれませんが、外から見てきた立場から、この15年間続いたイベントについて、僭越ながらも感じたところを述べさせていただきます。

　本日こうして、スクリーンに映し出されるこれまでの「うちのDEアート」の写真を見ていると、とても懐かしく感じます。ここにあった樋木さんのお屋敷や、そこに設置された菅野さんの美しい彫刻などが思い出されます。こうした思い出を共有されている内野の方も多いと思います。毎回訪れる度に、同じ場所を使っていても、使う人の解釈によってその場が変わって見えます。何回も通っているファンとしては、そうした変化や自分の感覚とのズレ、好き嫌いなど思い巡らし、ああ、こんな使い方があった、また新たなスポットが増えたなどと、その都度新鮮な思いで内野の町を発見させていただいていたように思います。

　歴史となると語り尽くせるものではないと思いますし、私自身全部を見たわけではないので断片的になりますが、2001年以来を思い返してみたいと思います。当初、丹治先生から、このようなことをやりたいと考えているといったお話を伺った時、正直なところ本当にそんなことが可能なのかと感じました。「大地の芸術祭」に影響を受けて多くの地域アートプロジェクトが生まれましたが、「うちのDEアート」は特に

63

早い事例として特筆すべきでしょう。

　今でこそ大小さまざまな芸術祭が全国で数え切れないほど開かれています。しかしその中で、地方国立大学の主導で、地域住民と協力して展開する芸術祭は多くはないでしょう。しかも「うちのDEアート」の場合、現役の学生さんが中心となって主な運営メンバーを構成しているわけですから、これは今見てもかなり例外的だと思います。確かに山形の芸術祭のように大学が行っているところはありますが、そこでは学生さんよりも先生や外部アーティストのような方々が中心になっているようです。これだけ若い力が入っている「うちのDEアート」は本当に誇るべきものだと思います。

　今日の発表もここまで見ていてもったいないと感じることは、作品名は出てくるけれど作家名が出てこないことです。ここでデビューを飾った学生さんたちは本当にたくさんいると思います。この若さで人の目に晒されるというのは、学生さんたちにとって非常にいい経験だったはずです。例えば先の登壇者の小林美果さんや横尾悠太さんたちには、当時彼らが学生だった頃に知り合っていますが、今日は久し振りにお会いしました。「うちのDEアート」から巣立った卒業生たちが何らかの形でまたアートの世界に戻ってくる、それを続けていることは素晴らしいことでしょう。同時に、大学が主導したプロジェクトの強みであるとも思います。

　話は少し変わりますが、以前、北川フラム氏や丹治先生が出席されていた何かの会に私も同席したことがあり、そこでこんな話をしたのを覚えています。アートというのは、基本的に何かを目に見える形にしたものだけれども、そうすることでしか見えないものを形にしているのだ、だからアーティストとは、見えないものを見せる人たちだ、と私は常々考えています。「うちのDEアート」もその表れの一つだと思います。それこそ大昔においては見えない神様をどうやって表すか、その力を表すために芸術の力は使われてきました。近代になると芸術は個人の表現となりました。それは

社会が拡大して一人一人の個性が失われていく時代、人々が自分とは何かという問いに突き当たったときに、人間が必要とした表現方法がアートだったといえるでしょう。今日、これだけ地域プロジェクトがもてはやされているのは、2000年代初め頃に北川フラムさんたちと話していたことですが、コミュニティーというものが見えなくなっている時代なので、コミュニティーを取り戻すために芸術が使われるというか、そこで何かを表現しなければ人の絆が確かめられない、こういう時代に私たちが生きているからではないか。だからこそ、たくさんの地域アートプロジェクトが生まれ、あるいはそうした形で作品を発表する表現者たちが増えている。それは地域プロジェクトをやっている人だけでなく、いわゆる現代美術全般に当てはまるでしょう。現代美術として人との関わりを求めるような作品が生まれているのは、こうした背景があるからだと私は考えています。

　長く続いてきた「うちのDEアート」も15年経ち、今、終幕を迎える決断をしよ

うとしているということですが、そういう意味ではある程度「うちのDEアート」、「西区DEアート」の使命が達成されたといえるのではないでしょうか。これだけ町の方たちと学生たちとの絆が見える形になってきて、この町にはこういう人が生活しているということが分かり、お互いにかなり距離が近付いてきた。地域の外から繰り返し訪れてきた人も、それを目にして感じられたのではないでしょうか。ですから終焉といっても、発展的解散として捉えられると思います。実際、2001年からこういうプロジェクトを積み上げてくる過程では、使う場所一つとっても、先ほど長谷川さんからお話があったように、家主さんとの交渉や、この場所が使える、使えないというような衝突もあったのではと思います。次第にすんなりと受け入れてもらえることが当たり前になってきて、今の学生は以前のような苦労をしなくて済むようになったとも聞きました。「うちのDEアート」の存在があって当たり前というところからスタートすることによって、先ほど言ったアートの

在り方や役割をまた変えてしまうのではという危惧も感じます。

　ここでもう一つ、他の地域プロジェクトと異なる点を指摘しておきたいと思います。行政の参加が遅かったことは特筆すべきでしょう。最初の頃は全くなかったわけで、これも異例です。昨今のアートプロジェクトは、例えば「水と土の芸術祭」もそうですが、むしろ行政が旗振り役となり、地域活性化や文化創造都市を目指して施策として行う場合がほとんどです。イベントを立ち上げる際の理念からこうしたことが謳われています。けれども「うちのDEアート」の場合は逆で、後からついて行く形で行政がバックアップする関係ができたという点が、他と異なる特徴だと思います。私も新潟市役所の職員の一人なので否定するつもりはありませんが、いわゆるお役所の息がかかった中で、芸術とはどうあるべきかを追究することは、芸術家にとって大きな課題になっています。アートは社会にとって必ずしも善ばかりとは限りませんが、行政が入ることによって公共性が常に問われる

わけです。議論が長くなるので今日はこの程度でとどめておきますが、要は行政が入ってきた時点で、プロジェクトの性格が変化することがある程度想定されるのです。自由な表現とは何か、この点を鑑みても、今ここで一旦立ち止まって考えることは悪いことではないと思います。15年という長い積み重ねがあるのですから、この記憶はそう簡単には消えるものではないと断言できるでしょう。

　毎年入学して卒業していく学生さんたちのサイクルを、いつも優しく時に厳しく見守ってこられた長谷川さんや玉木さんのような地元の大人たち、そして何より大学の先生方が忙しい中これだけ熱意を持って旗を振ってこられたことが、この事業の中で強調される機会はなかったものの、実は大きかったのだと思います。退官なさった山本眞也先生が旅の絵師みたいな感じで遊び心たっぷりに作品を作っていらしたことにも、私は感銘を受けました。そういう懐の深い大人たちと若者たちの交流が「うちのDEアート」を支えてきたように思ってい

ます。

8．ディスカッションでの意見

①それぞれの視点から語っていただき、「うちのDEアート」が重層的な意味を持っていたことが感じられました。荒井氏のご発言のように、ここで一区切りとするのは必要なプロセスだと私も感じます。再開の形を今の段階で定義する必要もなく、逆にそれは問題でしょう。そもそも「うちのDEアート」が何もないところから始まったことを考えると、再開時にもそうしたことが求められるように思います。時代も環境も変化した今日の状況下で、次の形が必然として生まれてくることが重要だと思います。（佐藤哲夫）

②当事者である大学教員として発言します。長谷川氏のお話にあったように、《シンカワホタル》の作業がとても大変で、当時私は、地域の人にここまで負担をかけてよいものかと悩んだこともありました。確かに、芸術がコミュニケーションの手段になり、芸術を通じて皆が楽しさを味わうことを全否定するわけではありませんが、相手を突き放したり負荷をかけることも芸術の価値、あるいは役割として認識すべきだと考えています。近年のプロジェクトでは、コミュニケーションが創出され、皆が一つになることで作品が生まれればそれでよしとする考え方が定着してきた気がして、それが危惧されます。（丹治嘉彦）

③次の展開方法として、内野町に若い芸術家を誘致することも考えられないでしょうか。フランスのナント市やドイツのライプツィヒ市などで実際に見たことがありますが、町の一角をアーティストに安い家賃で住居兼アトリエとして開放し、時にはそこを展示会場として作品を発表するのです。内野町にはものづくりに携わる方が多く住んでおられるので、そうした方々にも参加していただき、年に一度、一斉に展示するといった面白い展開が考えられると思います。（郷晃）

私と「うちのDEアート」の15年間

長谷川　酉雄（夢アートうちの代表）

　私と「うちのDEアート」の関わりは、2001年10月に商店の方より連絡があり、大学生が作品を展示したいが会場が都合つかなくなったから私の画房を貸してほしいとの話から始まりました。しかし、私の所は、内野町の画家猪爪彦一先生の個展を準備したばかりで調整がつかず、お断りしました。実は、後日会場を借りられなかった経緯を知ったのですが、頼み方と受け取り方の違いでした。

　その後2002年秋、新大の丹治先生より協力要請があり、お話を聞くことになりました。前年度の反省を踏まえ、来年の「うちのDEアート」を開催するにあたり、どのように事を進めたらよいかとのことでした。内容を聞き、私一人では難しいと思い、協力してくれる仲間を探すことにしました。賛同を得るにあたり、私は「山の上から大学が町に来たいと言っているのだから、今がチャンスじゃないか。協力しよう、やってみよう」と、ボランティア仲間を誘いました。そして2003年のアートの開催前に、私たちは学生代表数名を連れて

各商店街会長、自治会長、内野駅、駅前交番、商工会などへ挨拶に行きました。また、学生たちが展示したいという場所や個人のお宅も訪問し、作品については学生が、使用については私たちが説明をしました。はじめは「うちのDEアート」の説明と理解がうまくかみ合わないことが多くありましたが、最終的には私たち住民の「信用」でした。2003年の開催に向けては、前年10月頃より毎月のように大学と夢アートの仲間たちとで会議を重ね、無事オープニングにこぎ着けました。その際にも仲間たちには、食材、ビール、日本酒、家庭料理の調達を、料亭や飲食店からは料理を提供してもらい、クロージングの際も同様に、学生たちと住民が一体となって参加者をもてなす事ができました。招聘アーティストからは各地のアートに参加しているが、大学と住民が協力しあって手作りしている「うちのDEアート」は最高との賞賛の声を頂き、仲間と喜びあったものです。ところが一つ問題が生じました。海外から招聘したアーティストの帰りの旅費を大学側で捻出

できず、制作した石像を買い取ってほしいとの話が持ち上がったのです。皆で相談の結果、寄付金を募ることになりました。手分けをして、商店や企業、住民、金融機関などにお願いし、ようやく資金を得ることができました。その後も作品の設置場所について、新潟県、新潟市とも協議しましたが、良い場所が見つからず、最後に元市議会議員の岡本さんのお力添えで、内野駅前に設置の運びとなりました。しかしまたもや問題が。JRとしては、ただのボランティアには土地を貸すわけにはいかないというのです。そこで仲間たちと協議し、「夢アートうちの」を誕生させました。

夢アートうちのとは、「アートを身近に内野に夢を」で始まり、変動する21世紀の日本、新潟そして内野町も夢ある町に変わりたいという願いが込められたものです。その活動は新潟大学の教員、学生、プロ、アマチュアのアーティストから構成された「うちのDEアート」というイベントへの時間的、空間的な関わりがきっかけでした。それが契機となり「共に作ろう」をモットー

に活動するボランティアです。また夢アートうちのは、参加してくださる住民のアイデアを基に独自のイベントを企画し、その実現を目指して住民とともに汗をかき、そこから生まれる芸術、文化の香りを少しでも共有することで共感の輪を広げ、自分たちの町にもっと親しみを感じ将来への夢と希望につなげたいと考えています。それにより、現代人が失いつつある心の豊かさを取り戻せるのではないでしょうか。その他に失われた古き良き文化やイベントの再開の検討をはじめ、住民が心からくつろげて安らぎのある公園や美術館誘致などへの協力も行います。夢アートうちのは、内野町に芸術、文化の香りが漂い心豊かに、温かく自分の故郷で良かったと皆が感じられる町へと成長するための活動を続けます。

以上のような思いから「うちのDEアート」と夢アートうちのの関わりがスタートしました。

ここで私たちが「うちのDEアート」開催に協力した内容を少しお話します。開催年にあたる年は、春から秋まで毎月、教員、

学生、住民との会議がありました。大半は私の画房で行われ、議題は各学生の作品説明、展示場所の手配、開催期間、作品の設置、運搬、オープニング、クロージング、ポスター、チラシおよび配布についての意見交換でした。時には、作品への思い入れが強く、土地や貸し主に対する配慮に欠ける点を指摘されることもありました。トラブルの発生で家主にお詫びに行くと、「今時の学生は…」と言われ悲しい思いをしたこともあります。振り返れば、その時学生に厳しく言えなかった自分にも責任があったと反省しています。

そこで「うちのDEアート」に対する理解と協力を得るため、そして個々の苦情を減らすためにはどうしたらよいかについて話し合いを重ねました。そこから発案されたのが、学生たちに内野祭りや運動会、夜店祭りなどに参加してもらうことでした。最初の頃の学生は、アートを受け入れてもらうために行事へ参加するという形で頑張りました。その結果、「うちのDEアート」も次第に住民との距離が縮まっていき、内

野町の行事に、そして西区のイベントになっていきました。長年の努力の結果、特に内野祭りには各町内とも学生なくしては開催できないといわれるほど重要な存在になったのです。この良好な関係を語る上で、卒業生たちの存在を忘れるわけにはいきません。私が住民から聞いた話では、今日でも毎年お盆や正月に顔を出す人がいて、中には泊まっていく人もいるそうです。内野町の人と結婚した人もいます。私も昨年は卒業生の結婚式に「内野のお父さん」として出席してほしいといわれ、15年間で最高の感動と思い出をもらって帰って来ました。まだ私の知る以外にも多くの人たちが良好な関係を築いていたことと思います。

私の知る限り、新潟大学が五十嵐キャンパスに移転してから、内野町と大学がこれほど良好でなおかつお互いを必要とした時代はありません。しかし、その関係も今…。

先に述べたように、私は大学の「うちのDEアート」を支援する活動を通じ、独自のイベントを企画し実現することを目指してきました。夢アートうちののイベントは、

15年間を通しても一番の苦労と多くの人たちの協力で誕生したものです。

　それは2009年の住民会議のときでした。学生の一人が、内野町で昔行われていた祭りやその他の行事にはどのようなものがあったかを聞いてきたのです。私たちは花火大会、草相撲、盆踊り、灯籠流し、夜桜見物などを挙げました。その時学生の興味を引いたのは「灯籠流し」でした。そして、川を使った作品を作りたいというアイデアが出されたのです。その後の会議でLED電球を川面に浮かべた作品にすることや、素材にはストロー、竹、アシなどを使う案が出ました。最終的に、川に関連したアシに決定しました。それを受けてアシの調達を私たちで協力する事になり、佐潟に刈りに行こうとしたら、ラムサール条約に抵触するので無理とのこと。その後、新潟市や新潟県から情報を頂き、中之口川の河岸でようやく見つけることができました。トラックに草刈り機やノコギリ、カマを積んで、仲間たちの協力で山盛り1台を町まで運び加工に取りかかりました。しかし、

1本のアシから取れる本数も少なく、途中でアシが無くなり、住民の善意でヨシズや壁材、さらに砂丘へ刈りに行きました。その結果ようやく1万本がそろったのが半年後の10月でした。それから浮かべるための仕掛け作りやそれを結び付ける作業、当日は電源となる電池の接続です。しかし、電池の寿命が3時間、それを見かねて自治会やコミ協の人たち100人ほどが応援に来てくれました。私たちはできたものから仕掛けに取り付け、17時頃から作品を流し始め、流し終えたのが開会時間の19時を1時間も過ぎていました。ゆっくり鑑賞する間もなく閉会の21時で、今思い出すのは川面の浮かび上がるような感じです。その後、川から引き上げる作業は想像をはるかに超えていました。予定では上流の橋に引き上げるつもりが、仕掛けを引く水の力や川藻の絡まり、糸とアシの絡まりのせいでやむを得ず下流の橋で引き上げました。橋の上はまるでゴミの山でした。その山の中で悲しげに瞬くLED、悲しみをこらえて黙々と片付ける学生、先生と私たち。また

それらを分別するのに一カ月ほどかかりました。自分たちだけでなく、多くの住民から理解と協力をいただいた作品だけに、学生にも住民にも自分たちは充分なボランティア活動を果たしたのかを考えさせられました。この苦労の中から誕生した名前が《シンカワホタル》です。その思いは捨て難いものでしたが、ありがたいことに2011年の会議で語る私たちの思いを、新たな方法でチャレンジしてくれた学生がいました。それはプラスチックのボールにペンライトを入れ、糸で結んで川面に浮かべる方法でした。これもペンライトの寿命が短く、見物人の力を借りて一斉にセットして川に流したのですが、ボールの中に水が入ったり糸が絡まったりで、引き上げた後も再使用できず、ここでもまた残念な思いをしました。その年の冬、ホームセンターでクリスマスのイルミネーションを見た私は、この既製品を利用できないだろうかと考え、仲間と相談して2012年の春から準備に入りました。川の流れをコントロールすることは不可能なので、川に浮くように

空中につり下げる方法で、しかも安全で安価で少人数で作業ができ、そして10年は使用できるものにしようと考えました。しかし、それを実行するための予算の当てがなかったので、この時も町の人に寄付をお願いしました。おかげで昨年は夢アートうちのの「新川ほたる」も5回目の開催を終了し、10000人の来場者を数えるまでになりました。今後は若者たちが参加してくれることを望むとともに、内野町の夏の風物詩として、かつて私たちが先人よりいただいた思い出のように、帰省する人や住民の心に残ってほしいと願っています。

　15年という年月を「うちのDEアート」と真剣に向き合ってきただけに、昨年秋に新潟大学教育学部の新課程が廃止されると聞き及び、はかなくも信頼と絆が崩れ去った思いで、自分の気持ちをコントロールすることができなく、町の人の言葉に虚しさを覚えました。しかし冷静に考えると、近年学生たちのアートに対する思いも、「自分の作品には絶対にこの場所が、あるいは住民の協力が必要ですからお願いします」

といった熱意が伝わらなくなってきたように感じられます。それと同時に、「うちのDEアート」のために住民と深めてきた絆も、一部の学生にとっては苦痛に感じ始めたのではないでしょうか。また祭りなどで一部の住民のモラルの欠如も「うちのDEアート」の終止符を早めたように思います。

　昨年内野まちづくりセンターも完成し、大学の協力で芸術、文化を花咲かせより良い町づくりを夢見ました。願わくば「うちのDEアート」の復活を住民で話し合うよう切望します。

　最後に15年間「うちのDEアート」をご支援ご協力くださいました住民の方々、関係機関各位、夢アートうちのの仲間たち、本当にありがとうございました。

　なお、「新川ほたる」は今後も続けてまいります。

想いをつなぐ鎖

阿部　育子（「うちのDEアート2005」学生実行委員長）

　内野五番町に「泉屋小路」と呼ばれる古い小路がある。そこはかつて花街として栄え、多くの商店が軒を連ねる華やかな場所だったという。2003年第2回「うちのDEアート」で、小路沿い17件の商店、民家の軒先に各家の家紋を染めつけたのれんを展示し、その情景は当時の活気とその地に脈々と続く生活の営みを彷彿とさせた。2005年開催時には小路周辺へも範囲を広げ、長岡造形大学染織学科（鈴木均治教授）の協力を得て54枚ののれんが通りをにぎやかに彩った。のれんは毎朝その家の住人によって掛けられ、会期終了後も毎回の「うちのDEアート」や町内行事の折にのれんを掲げてくれる家庭が絶えることなく、この企画の種は住民の厚意によりささやかに継承されてきた。

　2013年開催時のシンポジウムに参加した際、住民から「町にのれんを復活させてほしい」、「他の番町でもやってほしい」との言葉を度々頂いた。実施後10年を経てもその声が途絶えていないことに心を動かされ、小林仏壇店をはじめ有志の力を借り

て、商店街の活性化を趣旨として「うちの暖簾会」を立ち上げた。制作費や運用方法など多くの課題と直面しながらも、現在は西区拠点商業活性化推進事業計画の一環として活動し、口コミや説明会の開催を通じて少しずつ町にまたのれんが増えてきている。

　帰省して訪れれば必ず町の人が「お帰り」と言って迎えてくれる内野は、私にとって第二の故郷だ。当時未熟な学生の私たちの「作品で何かを表現したい」という気持ちを温かく受け止め、多くのことを学ばせてくれたこの町には感謝しきれない。お世話になった土地への恩返しをしたいという思いから活動を始めたつもりだったが、い

まは共感してくれる住民と後輩たちの全面
協力のおかげで継続できており、結局また
多くの方々にお世話になってしまってい
る。「未来へのつながり」を願って設定し
た2005年のテーマ「Link×age」(鎖)は、
その言葉通り当時の想いを10年先までつ
ないでくれた。いつか町中にのれんが揺れ
る様子に喜ぶ笑顔を見たいと願いながら、
今後もこの活動を通じて内野とつながり続
けたい。

「うちのDEアート2003」企画の《暖簾路》。
各家庭に代々伝わる家紋を染めつけた。

「うちのDEアート」が生んだ新川ほたる

塩田　純三郎（夢アートうちの）

「うちのDEアート」が始まって、新潟大学の学生、先生たちが町に溶け込み、内野とアートの新しい関係が始まりました。平凡だった町並みのあちこちに目を引く人、仕事、風景が登場してきました。秋祭りでは、確かな力となって町中に躍動、感動を届けるようになっています。私には、子どもや孫を見るようなまぶしい輝きに映ります。

「うちのDEアート」では、学生たちから作品プレゼンテーションが行われ、それを実現するため住民の献身的な調整、サポートが行われます。その産物として学生と住民、子どもがつながり、交流、にぎわいが生まれました。春の運動会、夏休みから秋祭り、「うちのDEアート」へと続く６月から11月は、平日も人が行き交い町内がざわつくのが心地よい感じです。少子高齢化で寂れかけた町に学生の力が発揮され、秋祭りではなくてはならない存在となっています。

時を経て、住民主体の「新川ほたる」プロジェクトが発足しました。学生が「うちのDEアート」で行った《シンカワホタル》

のアイデアが背景にありました。ふるさとの新川、川面に揺れる灯火に私たちには特別な思いがあったのです。まさに大学のアートプロジェクトに住民が覚醒させられた産物だと思います。

私は常々、町内で祭りに参加してくれる学生たちの活躍に、私も手伝う事があれば今度はこちらが奉仕する番だと思っていました。そこで、長谷川酉雄さんを中心とした夢アートうちののメンバーに入れていただき、「うちのDEアート」の手伝いや「新川ほたる」の実施に携わっています。毎年これらの行事が楽しみです。また「うちのDEアート2015」で、私たち地元住民が企画参加した《うちの七人の職人と新大美術科のたまごたち》は、私と同じ志を持った町内の職人さんたちが一役買ってくれ、「うちのDEアート」の住民と学生のコラボレーションとなりました。また小林仏壇店の小林清則さんたちによる、のれんプロジェクトの波及的な活動は今でも町内に続いています。内野祭りでは、毎年卒業生たちが我が町内の金比羅神社を訪れてくれま

す。社会人になったOB、OGたちも県外からわざわざ祭りのために。もう彼らのふるさとになっている雰囲気で、かつて我が家にも泊まって一緒に祭りに参加してくれた同志も健在です。地域アートが生んだ宝物です。

　アートプロジェクトが一段落を迎える事になったと聞きます。町に残ったプロジェクトである「新川ほたる」やのれんプロジェクトの責任は、意外に重いのかもしれません。これからも大学が投げ掛けてくれたテーマを掘り下げ、今度は、私たちが大学と一体となって課題に取り組む新たな動きとなり、遺産を引き継ぐことでしょう。

「新川ほたる」2016年

「新川ほたる」2015年のときの夢アートうちののメンバー

「DEアート」がある日常と文化

小林　美果（「うちのDEアート2011」学生実行副委員長）

新潟市が政令指定都市に制定された2007年、私は芸術環境創造課程に入学した。「うちのDEアート」が「西区DEアート」という名称に変わった年。内野の町からは、「うちの」から「西区」となったことで、自分たちのものではなくなったようだ、と惜しむ声が上がっていた。町と「うちのDEアート」が不可分の存在であることがにじみ出た出来事だった。

故郷の千葉を出て新潟に進学を決めたのは「うちのDEアート」に関心を持ったからだ。美術館に隔離され、合理主義という名の下に生活の中から排除されつつある芸術文化を、暮らしの中に返したい。そんな思いを抱いていた私は、内野町という生活空間で展開されるアートプロジェクトのあり方にその可能性の片鱗を見たのだった。

「うちのDEアート」は単年で見ると一過性のイベントにすぎないように思える。春から準備を始め、秋の開催期間を終えると、町は何事もなかったように元の姿に戻る。しかし数年にわたって見てみると、そうではないことが分かる。ハレの日とケの日が地続きであるように、開催期間だけでなく、準備期間や終了後も、運動会や祭りに学生が参加することも、全てがその一部である。長い時間をかけて内野の新しい祭りの一つのように受け入れられ、日常の一部になりつつあったのではないか。

アートプロジェクトは互いが互いを知って受け入れ、自分たちの領域を明け渡すことから始まると思う。私たちは町に受け入れられて初めて町のことを理解し、町を自身の中に受け入れ、昇華することで初めて作品を生み出すことができた。今日、アーティストは地域を読み解き、代弁するストーリーテラーになりつつある。

表現の根源を地域に求めることは、文化を生み出すことに似ている。「うちのDEアート」も内野の文化になり得たのかもしれない。しかし多くの消えゆく地域文化がたどる道に、早くも至ってしまった。形式と方法論の継承が先に立ち、「今」それがある意味と向き合うことが充分だっただろうか。そう問い続ける限り、「うちのDEアート」は終わらない。

内野町と「うちのDEアート」

玉木　晴夫（夢アートうちの）

　新潟市西区内野地区にてさまざまなプログラムを展開してきた「うちのDEアート」が、2015年その幕を閉じました。内野町は昔から職人の町として知れ渡っていますが、2015年は職人の町を紹介する意味を含めて《うちの七人の職人と新大美術科のたまごたち》を企画しました。この話は夢アートうちのの会員である塩田純三郎氏がプロデュースし、内野町の工務店、仏壇店、表具店、石材店、豆腐店、そして刺繍あるいは暖簾会とそれぞれの領域の職人が賛同してこの企画が生まれました。その中で私は襖の制作あるいは修復を手掛けている関係で、この企画には襖に内野の風景写真や家族の思い出となる写真を貼ったものを表現し展示しました。他にも大工さんが「水車の組み方」、仏具屋さんの漆器「新川ほたるをイメージしたお盆」、石屋さんがお茶目な河童「筋彫」、豆腐屋さんが国産大豆100％の豆腐「おぼろ豆腐」をそれぞれ作りました。これらは「うちのDEアート」期間中、来場者から高い評価をもらいました。そもそも職人は宣伝が苦手なところがあるのです

が、この企画によって鑑賞者に作品を見てもらうことにより、作る事の喜びや幸せを強く感じました。このことは「うちのDEアート」が15年という時間を費やしたことの表れであると思い至っております。また学生さんの企画を支援した事も思い出となっています。2003年の「うちのDEアート」では、当時学生だった大澤弥生さんが《うちの大学》という企画を立ち上げました。内容は内野で「もの」を生み出す仕事を生業としている人にインタビューをし、それを元に住民と学生が語り合うというものでした。それが元となって学生さんが内野に多く訪れてくれるようになりました。また、2015年の「うちのDEアート」では安田志保さんが《OROCHI》という企画を立ち上げ、蛇腹の張り方などを教えてほしいと私のところに訪ねて来ました。和紙を分けてあげたり、張り方の指導を行ったりと、私にとっていずれもが良い思い出となっています。「うちのDEアート」が終わることは本当に寂しい限りですが、この場を借りて「うちのDEアート」の15年に感謝申し上げます。

第 3 部
REVIEW 複眼的考察

「うちのDEアート」が辿った15年とは
アートプロジェクトにおける芸術表現

丹治　嘉彦

1．はじめに

　2001年から隔年で新潟市西区内野町を舞台に行われた「うちのDEアート」「西区DEアート」などの、アートプロジェクトが今年限りでその幕を閉じた。これらアートプロジェクトは地域と行政、そして新潟大学教育人間科学部（教育学部）が一体となり、そのさまざまな場を舞台に芸術作品の展示や公開制作はむろんのこと、コンサートやワークショップなど多様な催し物が実践された。またそれらのプロジェクトは体験することを主な目的としたものであったが、それぞれ地域とつながり地域資産を掘り起こし、場の土地の記憶を呼び寄せ、それらを作品につなげて表現の新たな可能性を醸し出したものでもあった。

2．アートプロジェクトの始まり

　プロジェクトが始まった2001年当時の大学環境は、新たな研究教育を実践する上で比較的自由な空気が流れており、芸術表現や芸術教育を新たなステージに引き上げるためにさまざまな実験的な試みが行われ

始めていた。また大学内から外に出ての授業実践や研究発表を仕掛け始めた時期でもあり、この試みをどうにかして外部で行えないか模索していた時期でもあった。

　新潟市内野地区は新潟市中心部より10kmほど西に位置し、新潟市をその生活圏としている人々が暮らす町で、広大な砂丘列とその先に新川漁港が隣接していることから、昔から農業、漁業をはじめさまざまな業種に従事している人々が暮らす町でもあった。特に酒蔵のある町として、新潟市はもとより県内外に広くその名が知れ渡っている。江戸時代に、この地を流れる信濃川の支流（新川）の掘削事業ために全国から作業従事者が集まったことにより、醸造業が立ち上がったのである。

　この内野町では今日に至るまで大きな筋目として、次の出来事を挙げる事ができるだろう。まずは、江戸時代から大正にかけて信濃川の氾濫を防ぐために日本海とをつなぐ目的で新川を造り上げたこと、次いで昭和に入り、現在内野中学校が建っている場所に紡績工場が進出し雇用が生まれたこ

と、各省庁の出先機関設置と移転、そして新潟大学の再編と統合が行われ、内野から徒歩15分の新潟市五十嵐地区に1982年、総合大学として移転してきたことである。また、以上の出来事を念頭において内野町の人口の推移を見てみると、今現在は5000人ほどであるが、新川の掘削では日本海に川がつながり完成するまで、職人、役人、そして旅芸人に至るまで、約20000人が各地からこの内野地区に集ったという。また、日東紡績が現在の内野中学校近辺にあった頃は、新潟市近郊から通勤のために大勢の人が内野町に通い、町を積極的に利用していた。そして、今でも毎月1日と15日には「市」が立ち、近郷近在から来る行商の人が露店を並べて農産物などの売買が行われているが、「市」が行われる日の朝から夕方にかけては、にぎやかな声が所狭しと並べられた商品の隙間から聞こえるのである。新鮮な魚や野菜を売る人、あるいは衣料品を売る人などの掛け声を一日を通して聞くことができたり、普段では見ることない風景が映し出され人の往来を見

る事ができる。しかし普段は、駅前通りの朝夕の通勤通学、夏祭り、単発的な催し物、あるいは町主催の行事以外、目立った人の往来が失われているのが現状である。大人同士の会話はもちろんのこと、子どもたちの声が町中から聞かれなくなっているといっても過言ではない。これらは、町の中で人と人との偶然の出会いや新鮮な驚きや発見といったことが、この内野町から消失していると換言することもできよう。

　これらの事象は内野町に限ったことではないだろう。日本の地方都市において例外なく起きていることでもある。例えば、郊外に目をやると田畑や長閑な風景だった場が、大型ショッピングセンターの立ち並ぶ風景に変わり始めているのに気付く。それらの多くは、駐車場の面積が店舗の倍以上もあり、深夜まで営業を行っている。町の中心部から離れていても、個人が自家用車で行ってさまざまな種類のものを大量に仕入れることが可能となり、その結果として購買意欲を満たすことにつながったのである。こうして郊外にのみ人

が集まる現象が起きたがために、内野町の駅前商店や目抜き通りのにぎわいが失われてしまった事を認識しなければいけない。

しかしながら、郊外型大型ショッピングセンターの進出だけが、地方の中小商店の衰退や町のにぎわいの消失を招いたわけではないだろう。地元の商店街などが、人を集客するための方策を積極的にとってこなかったこと、いわゆる当事者意識をもって取り組んでこなかったこともその一因に挙げられはしないだろうか。このことが内野町にも当てはまり、その結果としてにぎわいや潤いといったものが失われたように思われる。大学のある街内野を振り返るなら、この事象は歓迎すべきことではないだろう。学生が街に立ち寄り商店街から会話が聞こえたり、街の人との交流が生まれたりすることが今の内野町には必須である気がしてならない。例えば大学のある街として多様な表情を見せる地域として、明治大学のある東京都千代田区お茶の水や、早稲田大学がある東京都新宿区高田馬場が挙げられるだろう。いずれも都市の中心部に位置し、学内だけにその機能をとどめているのではなく、周辺地域にも学生が立ち寄れるいわば居場所的な空間が設けられている。例えばカフェ（喫茶店）や古書店などがそれにあたり、調査研究のための資料を見い出したり、友人と議論を交わす場（カフェ、喫茶店）などとして機能し、いわば大学と街とが一体となった空間として学生にさまざまな刺激を与えている。またそれをきっかけとして学生が街に繰り出し、にぎわいや活気が生まれ地域に元気を提供しているのである。この両大学の他にも地域との結び付き（地域貢献）を旗印にさまざまな取り組みを行っている大学が近年増えている。町づくりをその中心に据えて、食、健康、教育などを題材としながら地域とつながってのプロジェクトが全国各地で展開されており、このような実践の背景には大学の生き残りのための戦略とも考えられるが、それよりも地域に認められ、また地域とともに歩む大学でもあることの証しを立てることを念頭においていると理解する。

新潟大学教育学部芸術環境講座においても、表現を通して地域とつながることを目標に、2001年内野地区を舞台に、芸術表現および芸術教育を核としたアートプロジェクトを行うこととなった。このプロジェクトを実践する際、新潟大学で培ってきた美術における表現と教育がその根幹をなすことは言うまでもないが、成果発表およびワークショップの実践は、当然ながら展示を目的とした専門的な空間、いわゆるホワイトキューブに展示することではなく、人々が生活を営んでいる場が中心となる。さもなくば大学内で行っている表現や教育をそのままプロジェクトに移植する事に他ならず、全く意味をなさないのであろう。それを実践するために、我々は地域に入りその記憶を知り、読み解き、そして地域の人々に寄り添いながらプロジェクトを進めることとなった（このような地域スタディーを通して地域の人々とつながる事は、プロジェクトが幕を閉じた2016年まで続いた）。具体的には内野地区にて行われる春の運動会、商工会が主催となって行う夏の夜店、そして秋に行われる内野祭りなどに、教員、学生が積極的に参加、関与することで、今まで知らなかった地域の伝統や生業を肌で感じ、そこで得た経験を表現や教育につなげることが、プロジェクトの本質につながると考えたのである。

3.「うちのDEアート」胚芽期

　2001年に行った第1回「うちのDEアート」は、地域とつながるための手続きをしっかりと行って臨んだが、順風満帆には進まなかった。むしろ否定される場面の方が多かったといってもよいだろう。もちろん広報活動や住民への参加の呼び掛けを積極的に行ったが、広報物を発行して公民館に置いても全く減らず、説明会を催しても聴衆がほとんどいないありさまだった。プロジェクトに関しての反応が全くない状態だったのである。また屋外に設置した学生の作品に関しても、通行人から撤去を要請されたり、あるいは生活圏を脅かさないでほしいとまで言われる始末だった。地域を

つなぎ新たな芸術表現、芸術教育と謳って始まったものの、地域からは全く相手にされない「うちのDEアート」の船出であった。

　この事実をもとにプロジェクトを改善すべくいくつかの具体策を講じた。まず大学内で「うちのDEアート2001」の反省会を開き、また企画検討会を繰り返し行った。その結果を受けて再度しっかりと地域とつながる仕組みを構築すること、作品を作り上げる際は、その是非を問うために知見のある第三者を招き審査を受けること、そして、大学内において芸術表現の枠を広げ、他の研究教育分野の協力を仰いでプロジェクトを相対化すること、以上をプロジェクトの根底に据えて、「うちのDEアート2003」を行う運びとなった。結果として「うちのDEアート2001」と比較するなら、作品やワークショップなどが増えるとともに「うちのDEアート2001」には見る事ができなかった有機的な表現がいくつか現れたのである。特に作品そのものに鑑賞者が積極的に関与する企画《うちの大学》がそれにあたるだろう。これは内野の暮らしや営みがどのように形成されたかを、地域の人々にインタビュー形式で取材を行って作り上げた映像作品である。この作品は地域資産と連動したプログラムとして位置付けられるだけでなく、作品そのものに地域の人々が積極的に関与し、当事者意識を促したものとなった。また内野中学校、内野小学校に協力を仰ぎ、表現活動を伴う多面的なワークショップを展開したことも特筆される。中学生が町歩きを行って今まで気付かなかった風景にインスピレーションを得て、作品（オブジェ）を内野町の至る所に埋め込むものである。美術教育において表現する、そして鑑賞するという形式的な授業形態を脱却し、他者とつながり他者との関係を重視し、そこから新たな表現を醸し出すことを狙いとしたものだった。参加学生はもちろんのこと、内野小学校、内野中学校の先生方、そして地域の人たちが、美術教育の新たな可能性に触れる事で、それぞれの気付きが生まれたことは疑いのない事実であった。

（1）夢アートうちの

　同じ2003年には、地域から「うちのDEアート」を応援することを目的に、夢アートうちのが立ち上がった。この団体は非営利で運営され、主に「うちのDEアート」を実施する際の後方支援を担ってもらうことが役目であった。具体的には、作品設置のためのアドバイスやアイデアの提供、またアーティストや学生などが町と関わる際の助言などである。例えば空き家に作品を設置する際、家主と学生の橋渡しを担ってもらった。また作品制作上の支援にとどまらず、月に一度プロジェクト実施に向けての会議にも夢アートうちのに積極的に関わってもらったことは、地域の強い熱意の表れといえるだろう（図1）。

　地域が関わりそしてともに作り上げることとなった「うちのDEアート」は、誰もが自由に参加し発言することができるわけだが、専門性を有しているかといった基準は一切設けず、プロジェクトに興味があるなら誰もが自由に参加しアートを楽しめるものへと変容していった。アートプロジェクトにおける地域住民の参加とは、自分とは異なるものに対して興味を抱き、それに疑問符を投げ掛け、そして気付きを得るというものと考える。当然ながらアートプロジェクトであるが故に、さまざまな表現形態が現れる。それらに対して選り好みすることなく関心を持ってもらい、主体的に関わることが何よりも優先されるのである。またある一定の機関や組織が「うちのDEアート」をハンドリングしているのではなく、関わったそれぞれが合意形成しながらプログラムを決定していったことが住民の自由な参加を促したともいえるだろう。

　例えばここに政治的な思惑が働いて、上意下達的な意思決定がなされていたなら

図1　実行委員会会議

ば、一方的な関わりのみしか生まれないだ
ろうし、またプロジェクトにおいて成果や
達成、そして途中経過すらも予定調和的に
終始し、「うちのDEアート」が単なるアー
トイベントとして位置付けられただろう。
このように夢アートうちのを中心とした地
域の人々が、プロジェクトが実践される年
と準備期間を含めて2003年から2015年
までの12年間プロジェクトに主体的に参
加し、共に盛り上げたことは「うちのDE
アート」の大きな財産となった。

（2）表現の広がり
　2005年3回目の「うちのDEアート」で
は2003年よりも企画数で10増え、国内外
から9組のアーティストを招聘しての作品
制作、あるいはシンポジウムなどではさま
ざまな領域の人に関わってもらい、「うち
のDEアート」に彩りを添えた。特に町に
滞在しながら地域と積極的に交流し制作を
行うアーティスト・イン・レジデンスは「う
ちのDEアート2005」の大きな目玉とも
なった。そもそもアーティスト・イン・レジ

デンスとは、県内外、あるいは海外からアー
ティストを招聘して一定期間町に滞在して
もらい町の各所において作品を発表するも
ので、アーティストが町をリサーチしてそ
こから制作上のインスピレーションを受
け、またそのための契機となって作品を作
り上げるというものである。プロジェクト
におけるアーティスト・イン・レジデンス事
業は2015まで毎年続けられたが、開催年
は当然のこと準備の年もアーティストが地
域に入り、地域をリサーチしながら交流を
深めることを作品制作の筆頭に置いて表現
していった。このプログラムの有効な点は、
アーティストが地域に入り通常見過ごされ
ていたものに光を当て、地域に埋もれていた
風習や文化、そしてそれ以外にも地域資源を
掘り起こしてくれる作用がある。例えば2005
年のレジデンスに参加した安田丈治氏が行っ
た、テントをつなげる作品《無題》は、内野
1番町の神社に複数のテントを立て、それ
を地域の人たちや学生とともにつなげてい
くものである。テントそのものはいたって
シンプルなのだが、制作されたテントが増

殖してそれ自体が迷路となっていく様は見る者を楽しませた。制作された作品と合わせて制作の途中で地域の人々と交流したことが、このプロジェクトの大きな特徴といえるのである。また内野５番町を舞台に行われた《暖簾路》（図２）も取り上げたいプロジェクトの一つである。かつてはこの５番町には多数の職人が住んでおり、また昭和30年代までは映画館もあったという。この歴史が漂う内野５番町泉谷小路とその周辺を、のれんの町にすることをイメージ

して企画されたものである。具体的には、企画者が家々に取材を行ってそこから得られたイメージをもとにオリジナルののれんを制作し、出来上がったのれんは家々の軒先に期間中掛けられる。この作品はその後も「うちのDEアート」が開催される際に必ず飾られることとなった。

図２　《暖簾路》プロジェクト

4. 広がるプロジェクト：うちのから西区へ

(1) 美術館とのつながり

　2007年は、今まで行ってきたプロジェクトを拡張する動きが出た年でもあった。そのきっかけとなったのは、その年新潟市が本州日本海側で初めて政令指定都市になったことである。新潟市西区地域課から、過去3回行ってきた「うちのDEアート」を西区に広めてほしいとの要請があったのである。この件を実行委員会で協議した結果、プロジェクトが認知された証しであると判断し、プロジェクトの枠組みを広げ実践することを確認した。ただし、プロジェクトが行政側の提案によるものなので、一般的に行政の意見を優先することを求められる場合が多い。このことはプロジェクトの自由度が失われるとともに、表現の新たな可能性が失われることをも意味する。これらを鑑み、プロジェクトが何ものにも縛られず、かつ新たな価値を生み出すことが使命であるから、行政からの支援は受けつつも、それに束縛されないことをその条件とした。また隔年で開催していたアートプロジェクトであったが、この年より毎年西区内で実践することとなり、行政そして地域が一体となってプロジェクトを新たなステージへと押し上げることになった。さらに2007年のプロジェクトでは新潟大学の各研究教育機関から参加の打診があったと同時に、他分野にプロジェクトへの参加を促し多様な表現形態が生まれた。その筆頭として新潟市新津美術館との連携事業が挙げられる。まず美術館とアートプロジェクトでは、表現を扱う上で方向性は一致するが、その仕組みやシステムを考えると異なる部分が多い。例えば美術館は美術の普及、振興そして移動美術館などの出張サービスを行うことを目的として地域に出ていくことが多いが、美術の専門家がアートを促進する限り、町でアートプロジェクトを実践しても地域の人たちの目線に立ったつながりを得る事は難しいと思われる。またアートプロジェクトを運営する側においては、地域との結びつきを何よりも優先するが故に、アートの専門性が薄れてしまう可

能性が生じてしまう。例えば美術館側と地域をつなぐ役をプロジェクトを運営する側で担ったり、それと同時にアート作品の扱い方やその展示の有効性を美術館側から学ぶといったことがプロジェクトにおいて予想された。このことを基に2007年に当時新津美術館学芸員であった荒井直美氏に打診したところ、この主旨を理解してもらい美術館が選んだアーティストを招聘して、アートプロジェクトの深化を図ることとなった。そして、新津美術館で展覧会を行った横浜市在住のアーティスト高田洋一氏を招き、地域との交流を図りながら作品制作を行ってもらうことになった。作品は内野町の樋木酒造の座敷に設置された《翼双》、《浮遊林–父から貰ったもの》という２点であり、それぞれ竹と和紙で作り上げられ、部屋に流れるわずかな空気の流れを感じ取るものであった。明治期に建てられた内野町でも歴史ある家屋の空間に飾られたことにより、日常の生活空間が変容し、アートを身近に感じる空間と時間が生まれた。期間中、高田は作品設置場所においてワーク

ショップを行った。袴姿で登場して自身の作品に対する思いを軸に、ものづくりの心、日本の文化、そして教育に対して鑑賞者を前に語った。これら作品を前にアーティストが自身の思考を語る事は美術館での展示などでよく行われている。しかしながら、日常の空間に作品を設置した中へ鑑賞者を誘い、近い距離で交流することは美術館のそれとは異なる。プロジェクトにおける実践は、生活の中でアートをより身近なものとして感じさせ、また日常空間に疑問符を投げ掛け、思い思いのイメージを紡ぎ出させたに違いない。

　美術館とアートプロジェクトでは、どちらも暮らしやその営みに疑問符を投げ掛け、そこから「もの」や「こと」に対して新たな気付きが生まれることをその中心に位置付けてはいるが、その手続きや手法は異なるところが多い。だが、それらが有機的につながったことで、アートが社会に開かれたものとして、そして生活の一部に侵入している事実を高田が企画した作品が証明したのである。

(2) ワークショップの展開

　2001年から継続して行ってきた「うちのDEアート」であったが、2007年からは内野地区以外においても多様なプロジェクトを実践した。2008年と2010年は新潟市西区寺尾地区の寺尾中央公園、また2011年は緑と森の運動公園を舞台としてワークショップ形式を中心にプロジェクトを行った。それぞれ西区内の公園でのプログラムではあったが、「うちのDEアート」で培った美術教育の可能性を深める事を目的として行われた。プロジェクトを実践する上で寺尾中央公園の歴史をひもとくと、以前新潟遊園として市民に親しまれ、お猿の電車や小さなメリーゴーラウンドなど、子どもが楽しめる小さな遊園地として昭和50年代まで機能していたという。この事実をもとにして遊園地を動物園に見立て、子どもを中心とした市民が想像力をもって楽しめるプロジェクトを行うこととなった。一例を挙げると、不要となった木材チップを集積して作られた4mほどの数体の動物や、それを背景にして作った

長さ12m、幅8mの巨大な滑り台などがある。この滑り台は巨大なアトラクションをイメージし、段ボールを多数集めそれぞれをつないで公園の地形に合わせて作ったものである。さらに子どもたちにも、そこを滑るためにオリジナルのそりを制作してもらった。また、滑る途中で見える風景をダイナミックに楽しむ仕掛けも施されていた。これら一連の実践は、子どもたちに表現の面白さを伝えることをその根本目的とする。そこで、これらを実践するためにまず近隣の小学校を訪問して理解を得ることから始めた。先生方には、ワークショップが教室外での展開となることから興味をもってもらった。このことは、昨今の新自由主義的な風潮の中、例えば規制や序列といった物差しが否応なく浸透する事、さらには評価に対しても外部からの厳しいまなざしが向けられる事によって、教育現場において感性を主軸とした教育の実践を拒む要因となっている。そのような中、学校内部においてできなかった教育形式が、アートプロジェクトという、時間や場所を自由

に設定できる形式に移し換えられることにより、実現可能になったといえるだろう。

5.「うちのDEアート」のこれから：
   市民に委ねられるプロジェクトへ

　2001年より始まった「うちのDEアート」であったが、表現行為を実践するのは招聘アーティスト、あるいは表現を自身の筆頭に位置付ける学生が主であった。ワークショップなど参加型のプロジェクトも、それらを実践しているアーティストや学生が担っていた。しかしながらアートプロジェクトの意味をひもといてみるならば、啓蒙的に捉えるのではなく、表現者と参加者の協働を中心に位置付け、市民が社会に向き合う実践行為としてアートプロジェクトを考察することが求められる。例えば企画を行う際に、双方の忌憚（きたん）のないコミュニケーションから見えてくることが何よりも優先される。

　こうした考え方に基づいて内野町の西側を流れる新川を舞台に生まれたプロジェクトが《シンカワホタル》であった（図3）。

図3　《シンカワホタル》

新川は越後平野と日本海を結ぶ川で、江戸時代に信濃川の氾濫を避けるために作られた。その新川では昭和30年代前半まで、夏になると毎年灯籠流しが行われていたという。この灯籠流しを今の時代によみがえらせることを目指して取り組んだものが、このプロジェクトである。

　作品の中に灯籠そのものは含まれてはいないが、それを想起させるために川の両岸に何本もロープを渡し、そのロープにLED電球約22500個を結び付けて、ちょうどホタルが川を舞っている様を表現した。プロジェクト実施前日より準備を行い、2011年8月13日に《シンカワホタル》が初めて披露された。当日は夕方から小雨模

様の天気であったが、お盆の時期ということもあり、この《シンカワホタル》を鑑賞するためたくさんの人が集まった。川面に浮かぶ光やそれに映る表情を楽しむ人々の様があちらこちらで見られたことは、このプロジェクトが地域に新たな光を当てた証しといえるだろう。その後《シンカワホタル》は2013年以降、夢アートうちの主導の下、内野の住民たちの手で「新川ほたる」として毎夏開催されるようになり、現在に至っている。

「新川ほたる」は表現の専門性を有した人たちが作り上げたもの、あるいは手慣れたイベント専門の業者が依頼されて披露したわけではない。よって作品としての質を問われるならば決して高いものではないかもしれない。しかし「新川ほたる」が有しているのは、自分たちの地域を見つめ、人と人とがつながり、そしてそれらの過程を楽しみ紡ぎ出す様であり、そのことにこそアートプロジェクトの意味があると考える。

また内野において生まれた市民主導のプロジェクトは、この「新川ほたる」以外にも前の項でも述べた《暖簾路》プロジェクトや、造り酒屋と大学のデザイン教育が母体になって取り組んだものが、今現在も進行形で動いている。これらは「うちのDEアート」から派生したもので、これらのプロジェクトは今後「うちのDEアート」の枠組みを離れても、主体と主体の隙間に進入して新たな座標軸を構築する事は間違いないだろう。

6. プロジェクトの検証と課題について

(1) 「うちのDEアート」を中心としたプロジェクトの検証について

2001年より内野地区を中心として展開してきたアートプロジェクトだが、作品やワークショップなどについて市民や学校関係者、そして行政からは賞賛の声が多数上がった。特に来場者数や関わった人の数が年を追うごとに増え続け、プロジェクトが実施されている最中のにぎわいは祭りの様相を呈しているといっても過言ではない。

また、2011年に実施した「うちのDEアート」では日本建築家協会「まちづくり賞」も受賞した。我々のプロジェクトが地域の新たな盛り上がりにつながったことは当然のことながら、アートプロジェクトとしての評価でもあった。確かに評価に関しては、上記のように数値や表彰といった目に見えるものと結び付けがちだが、アートプロジェクトの真の意義を考えると、それらだけを頼りにするのは少々乱暴だろう。そもそも評価とはある目標値を設定し、それにどれだけ近付くことができたか、あるいはそのシステムがしっかりと機能したかを計ることや検証する行為を指すと考える。しかしながらアートプロジェクトにおいてこうした一般的な意味での評価を当てはめることが可能であろうか。例えば「うちのDEアート」で行われた、招聘アーティストが地域の人々を巻き込んだ作品制作やワークショップなどに関わった人の数は、ごくわずかでしかない。しかしながらアーティストが地域に入り込んでいった行為は、我々が見向きもしなかったものに光

を当て、それが地域の宝物であったことを気付かせてくれた。いわば数値に還元できないものを地域にもたらしてくれたのである。アートプロジェクトにおいて、アーティストが行った問題提起とそこに表れた表現こそが、資産といえるだろう。それら一連の行為に対して数値目標が設定されたならば、アーティストが思考停止状態になり、表現が機能不全に陥る可能性すらあり得る。当初設定した数値上の目標に概当しないからといって、評価を下げるのは早計だろう。だとしたら予定調和ではない作品やワークショップをどれだけ内包しているのか、またそれを生み出す潜在能力がプロジェクトに備わっているかも評価の一部に据える必要がある。プロジェクトを実践する際は、この視点を中心に据えて評価を行う事が理想であると考える。

（2）プロジェクトの課題について

　2001年に始まった「うちのDEアート」だが、回を重ねる毎に地域住民に認知されていった。しかしながら舞台裏ではさまざ

まな予定外な事が発生していたのも事実である。その中でも2007年に行政（新潟市西区）からプロジェクトの拡大を依頼され、プロジェクトの名称変更を行った事が第一に挙げられるだろう。この件についてどのような形態が可能かを、学生と共に何度も議論を行った結果、プロジェクトの中心が内野であることには変わりはないが、プロジェクトの拡大を目論むのであれば名称の変更が必要と判断し、「西区DEアート」に変える決断を下した。その結果、西区全体にプロジェクトが波及し、企画数が格段に増え、鑑賞者、来場者とも過去最高を記録した。しかし来場者数の増加と引き換えに、プロジェクトを運営する側の問題がいくつか浮上した。規模が大きくなったことでそれに関わる学生の行動範囲が広がりオーバーワークに陥ってしまった。また何より名称変更によって内野地区からプロジェクト名に「うちの」を入れてほしいとの注文が幾度となく上がった。もちろん行事などへの参加を通して、プロジェクトの中心を内野に定めてはいたものの、内野で

プロジェクトを行っていることが不明確との意見が予想以上に多かったのである。「うちのDEアート」という名称が地域の誇りであった事を認識させられた（この名称変更に関しては、2011年より再び「うちのDEアート」に戻している）。

7．おわりに

　最初は地域に問い掛けても全く反応がなく、町が目指すべき明確な指針も見当たらなかった。そのような中で展開した「うちのDEアート」は、15年をかけて少しずつではあるが地域においてアートを通してさまざまな「こと」や「もの」をもたらしたと考えられる。そしてこの「こと」や「もの」は人間同士の出会いやつながりを通して、環境や価値観を多面的に問う姿として浮上してきていると考える。アートとの関わりをあまり持たなかった内野の人々にとっては、ある日アートなるものがやってきて、場所を占有し、作品が生まれ、多くの来訪者が押し寄せたのである。それは新川を作り上げた際の町のざわめきにも似て、ある

意味現代の領地侵略を模してはいないだろうか。事前準備から運営に至るまでプロジェクトを通じて幾つもの衝突があちこちで発生した。しかし、これらの衝突を契機として繰り返される問いは、主体的な思考と理解を促し、さまざまなプロジェクトで生まれた新たな価値観への理解につながったに違いないだろう。こうした思考の継続によって日々の生活や営みに新たな発見が生じる。これこそが社会の出来事に対する主体的な態度を育むことにつながると考えられる。

　埼玉県立近代美術館学芸員の平野到氏は「西区DEアート2007」の講評の中で、「かざり」と称して次のように述べている。「「かざり」という文脈に西区DEアートを重ね合わせてみると、仮設性が急に意味を帯びて見えてくる。確かに、手軽な素材でかざられた作品は永続的ではなく、開催時期が過ぎるとなくなってしまう。しかし、こうした一過性の祝祭であるからこそ、町の人々や訪れた鑑賞者は、時の流れやはかなさ、失われつつある記憶を、敏感に感じ取っ

てくれるのではなかろうか。そう考えると、これからも、大げさでガッチリとした作品ではなく、むしろかざりの精神をもって仕上げた作品こそ、このプロジェクトの主役になるように思えてくるのである[1]」。この「かざり」から生まれた数々の物語こそ15年行ってきたプロジェクトそのものである。この「かざり」はひとまず幕を下ろすが、地域の人々にとってこの「かざり」が次の扉を開けるきっかけになることを願ってやまない。

[1]　平野到　「西区で『かざる』西区を『かざる』」『西区DEアート2007記録集』西区DEアート実行委員会　2008, 5.

コミュニケーションの観点から見た「うちのDEアート」
アート及び美術教育としての考察

佐藤 哲夫

1．はじめに

　地域アートプロジェクト「うちのDEアート」は、新しいアートと美術教育の追究を通しての地域の活性化を目指した活動であった[1]。その特色は、学生の主体性を重んずることなどいろいろあるが、欠くことのできない概念は何かといえばそれは「コミュニケーション」であるといえる。コミュニケーションは、「うちのDEアート」の諸局面の下層に必ず横たわっていて、その性格に影響を与えてきたといえる。地域アートプロジェクトは、一般に「地域活性化」の文脈で語られることが多いが、「うちのDEアート」の「活性化」の意味するところは、経済的な活性化というよりも、プロジェクトを通して地域住民や子どもたちと学生が交わり、コミュニケーションすることで精神的に活気付くことを意味している。また、今日のアートの特徴の一つに、作品の制作過程に観客が関わる「参加型」ということがあるが、アートプロジェクト自体がこの傾向の表れである側面もある。近代芸術では、作者が作品に振るう力は絶大で、最大限の自由の行使と責任を負い、賞賛も嘲笑も無視もすべて芸術家としての作者が一人で甘受するべきものとされた。しかし、参加型アートでは、作品は作者が一人で作り上げるものではなく、参加者とともに作り変化させるものである。作品が「もの」ではなく、制作の過程や見るものに及ぼす効果といった「非物質的なもの」を指し示すことも多い。作品の意味付けも近代芸術とは異なる。作品は、しばしばそれ自体が目的ではなく体験や経験のための手段であると見なされる。総じて現代アートにおいては、作者は孤高の存在ではなく、他者とともにあることで表現を紡ごうとしており、コミュニケーションが鍵になっているといえる。

　アートから美術教育に目を転じてみると、ここでも同様にコミュニケーションが鍵になっている。しかも今日の美術教育に関しては、何重もの意味でそうなっているといえる。「美術」に関しては現代アートの傾向として既に見たが、「教育」に関しても今日の教育課題として「コミュニケーション力の養成」がいわれている。背景に

は、ネット技術の発達やジョージ・リッツァが「マクドナルド化」と名付けたマニュアル化、効率化の浸透など、社会の変化とそこに生きる子どもの変化がある[2]。さらに、こうした教育課題に取り組むために、子どもを教える教員の側にも資質としてのコミュニケーション力が求められている。教員養成学部におけるアートプロジェクトにこうした意図が込められているのは言うまでもない。本論考では、これまで15年の「うちのDEアート」をアートと美術教育との関連で振り返るに当たって、重視すべき観点をコミュニケーションに求め、成果と課題を考察する。

2．「うちのDEアート」の基本形

　「うちのDEアート」は2001年に始まった。何も無いところからの出発であり、主体となった学生も指導に当たった教員もさまざまな苦労があったが、期待と不安がない混ぜになった高揚感と緊張感のために活力にあふれていた。筆者は、本質的な意味では、規模の小さなこの第1回目の「うち

のDEアート」を、最も重要だったものとして考えている。残された記録集は、わずか10ページの作りも素朴なものであるが、これを見返しても、その後の「うちのDEアート」の基本的な理念、性格、形態を決定したものであったことが分かる。記録集の巻頭には、「本プロジェクトは、2000年9月、大学と地域・人と場・人と人のつながりをキーワードにし、アート系・まちづくり系・教育系の要素を含むものとして発足しました。」というリードとともに、「『うちのDEアート』とは」と題する以下の文章が掲げられている。

　　私たちの活動は、これまで狭い学内に留まりがちでした。しかし、これからは視野をひろげるために、学外で地域住民と、芸術を媒介とした交流をすすめていきたいと考えています。
　　このプロジェクトでは、私たちを取り巻く日常に対する意識を広げ、さらに、作品（作者）→鑑賞者という一方的な関係ではなく、人と何かを作り出したり、それぞれの思いを語り合える場を提案します。そういった意識の交流や共

有が根本にある「コミュニケーションとしての芸術」を様々な形態で行います。

　これらのことは、多くの人々が、芸術の新たな可能性を見い出す良い機会となるのではないでしょうか。

　ここから分かるように、「うちのDEアート」というプロジェクトはアート、まちづくり、教育の三つの領域での革新的な挑戦の意図を持つものであった。そしてそれらを一つにまとめる概念が「コミュニケーション」であり「コミュニケーションとしての芸術」であるとの考えに基づいていたのである。

　プロジェクト活動自体は前年から始まり、公開展示イベントの開催は翌年の秋、場所はJR内野駅周辺という基本のパターンも、１回目に確立されたものである。小規模だったとはいえ、総数31の展示、ワークショップ、シンポジウムなどが行われている。その内容を今から振り返ってみると、近年の「うちのDEアート」にはない荒々しさ、果敢さ、ストレートさが感じられる。それは

特に、コミュニケーションそのものをテーマに据えたり、あるいは重要な要素として組み込んでいる作品や活動に顕著である。一例を挙げれば《鉄と人の立体作品》は、内野駅の入り口に高さ100cmの鉄の箱を被った人が腰掛けている異様な彫刻である。箱の下部からは脚だけが出ているが、時によりこの箱には本物の人（作者）が入っている。異様な物体を目にした人が鉄の箱に入っているのは人か人形か確かめたくなってノックすると、時にノックの応答がある。安部公房の『箱男』を連想させるようなこの作品は、異化された非日常の中で、伝える内容をそぎ落としたときに浮かび上がる原初的なコミュニケーションを浮かび上がらせようとしたものといえる。また《内野DE有名人》では、住民の人をアイドルや選挙立候補者に見立てたポスターにし、町中に掲示した。《バラマキプロジェクト》というのもこれによく似て、内野で生活する人々の姿をはがきサイズのシルクスクリーン作品にし、あちらこちらでばらまいた。また《内野DE秘密基地（内野征服計画Step1）》は、

内野駅構内の公共の待合室を「懐かしくも
アヤシゲな人形が訪問者を待っている」秘
密基地というプライベート空間にしてしま
うものである。これらの作品は、こちらか
ら人々に対して積極的介入によって、コミュ
ニケーションを仕掛けようという姿勢が貫
かれている。今ならどれもほぼ間違いなく
実現不可能なものだと思う。理由は、状況
が変わってしまったということではないか
と思う。地酒の大きな看板を屋根に乗せた
当時のJR内野駅は、今では機能的で洗練さ
れた駅に変わり、紹介したような作品を今
日の駅の内外で展開できるとは想像できな
い。それは単にJRの運営体制の変化といっ
たことではなく、社会全体が変化したとい
うことである。そして最も変化したものは
人の意識であろう。常識的に許されること
の判断基準の変化である。今日では、プラ
イバシーや肖像権に対する要求が非常に高
まっているが、当時はこうしたものも、そ
の他の要素と天秤に掛けつつ、その時その
時でバランスを取りながら繊細に個別に判
断するということができていたように思う。

もちろん、ある人の判断は他の人の判断と
は一致するものではないので、話し合いに
よってどのあたりで折り合うかということ
になる。しかし、今日では表現者も受け手
も、自分の判断や感じ方以外の客観的な一
律のルールや取り決めに依ろうとする。こ
うした社会の意識の変化は、表現する学生
や指導する教員の意識の変化と混じり合っ
ている。例えば教員である筆者は、自分の
見方や考え方を変えたつもりはないが、今
仮に、学生がこれらの作品を提案したとし
ても、クレームが来ることを恐れて考え直
すようにアドバイスすると思われる。当時、
関わった教員はむしろ煽る側にいた。

　続く2003年と2005年の「うちのDE
アート」は、2001年の「うちのDEアー
ト」で手探りで提示された形態をおおむね
保持しつつさらに拡大、進化させたもので
ある。コミュニケーション自体がテーマに
含まれた企画作品も、《暖簾路》のように、
より美的に洗練され安心して見られるもの
になっている。アーティスト・イン・レジ
デンスや、内野町住民に光を当て、参加し

てもらう《うちの大学》など、コミュニケーションを形態や活動として、見える形にいかに深めるかという問題が追究されている。地域でアートプロジェクトをやることの意味を繰り返し考えながら、それが本当に住民のためになるのか、我々の独り善がりではないのかを問いながら、アートを媒介としたコミュニケーションを追究した。

　2007年からは、新潟市西区との連携文化事業として行われることになった。そして「西区DEアート」と名称が変わり、この年以降は強弱を付けながらも毎年実施されるようになった。場所も内野駅前通りだけでなく、寺尾中央公園なども会場とされるようになった。2007年はさらに、新通地区や五十嵐浜でも作品が設置された。大学と並び地元の行政がバックアップしてくれるようになり、予算に見込みが立つようになったことの意味は大きい。それまでは、各種の補助金や助成金制度に応募して資金を得ていたからである。これにより責任がより重く感じられるようになったのだが、同時に実施側の内発性が問われるような構造に

つながってしまった面もある。「やりたい者がやりたいことを行うという」始まって以来の基本精神が、「やることになっているからやらなければならない」という義務感に取って代わる危険が生じたからである。「西区DEアート」はさらに2008年、2009年と行われひとまず終わりを迎えるが、それ以降もプロジェクトは毎年実施され、2011年には名称も再び「うちのDEアート」に戻り2016年の最終回まで継続する。

　全部で14回行われたプロジェクトを総称して「うちのDEアート」と呼ぶこととすると、この全体の推移をどう捉えればよいのだろうか。それは見る人が時々の「うちのDEアート」とどのように関わったかという問題に置き換わることが分かる。この間、プロジェクトの主体である学生は、毎年入学と卒業を繰り返している。自分が積極的に関わった年が最も輝いていて重要な「うちのDEアート」であったということになると思われるし、そうでないとすれば寂しいことである。同じことは長く「う

ちのDEアート」を体験している教員にも当てはまるのではないだろうか。自らの作品発表や学生指導において、年による関与の濃淡は自ずと出てくる。筆者の場合は、最初の数年が自分としては最も熱い気持ちで関われた時期であったため、重要に感じてしまう。しかし全体の規模、洗練度、プログラムの数や多彩性、観客の満足と動員数などを指標にすれば異なった見方ができるだろう。「うちのDEアート」を評価しようとする場合、評価の観点が問われることになる。評価したい目的（比較して調べたい事項）が決まっている場合は評価可能である。しかしプロジェクト全体の評価としては、さまざまな評価項目の合計としてそれを行うことは、本当は不適切ではないだろうか。アートプロジェクトを評価することは、アートプロジェクトとは何かという問いに対して答えを与えようとすることと切り離せない。

3. 教育課題としてのコミュニケーションと「うちのDEアート」

会社においてもいえることではあるが、今日学校教育では「コミュニケーション能力」が求められている。良い教員である条件が、子どもとコミュニケーションできることであることはいうまでもない。しかし、子どもや保護者と意思疎通し、良好な人間関係を築くことが苦手な教員が増えてきている。その要因が、コミュニケーションの経験不足であることは間違いない。友達や仲間と触れ合いながら一緒に遊び過ごした経験、大人や異年齢の子どもと接しながら何かを行った経験、近年の利便性と合理性を求める普段の生活の中で、これらの経験の機会が減少しているからである。将来教員を志望する学生は、知識内容だけでなく、自らのコミュニケーション能力も意識して高めなければならない。

学校で課題となるコミュニケーションの場面は、教員だけではなく、子ども自身の課題でもある。不登校、いじめなどの背景にはコミュニケーション不全がある場合が多い。また、こうした問題行動に至らなくても、前述のような現代の生活スタイルの

中で、コミュニケーション能力を培う機会は減っている。SNSやネットゲームは、新しいコミュニケーションを生み出しており、ポジティブな側面はあるが、現実の直接的なコミュニケーションに代替できるものではない。

しかし、子どもにしろ教員にしろ、求められるのはコミュニケーション能力であるという考え方には実は抵抗がある。教員採用試験や会社の面接が想定し求めるコミュニケーションのスキルは、円滑なコミュニケーションを助けることに役立つかもしれないが、スキルがあるからといってコミュニケーションが成立することにはならない。実際にさまざまな人とコミュニケーションを行った経験がコミュニケーション志向を育む。しかし、コミュニケーション能力やスキルが強調される教育の場においては、一般的で標準的な人が想定され、個別的で具体的な人との関わりの経験としてのコミュニケーションが語られることが少ないと思うのは、筆者の誤解なのだろうか。

コミュニケーションは、「人間の間で行われる知覚・感情・思考の伝達」とされているが、語源的にはラテン語の「Communus（コミュナス）」すなわち「共有」を意味する言葉からきているといわれる。「伝達」は情報のやり取りで「情報」に力点があるが、「共有」では二者間での「意味の形成と共有」であり、「二者の関係性」に力点がある。教育現場にこうした本来的意味でのコミュニケーションがないということではないが、能力とスキルの学習課題として主題化される時点で、情報伝達力の意味に転化してしまっている傾向はないであろうか。

「うちのDEアート」の中で、「教育課題としてのコミュニケーション」を最も意識して行われたのは、子ども対象の各種ワークショップである。地域の学校や教員との連携をテーマに行われた活動も含まれるが、基本形は、自由参加で集まってきた子どもに、普段経験したことのない新鮮な驚きのある造形的な活動を楽しんでもらうというものである。こうしたワークショップを実施するに当たっては、多くの場合、発案者

を中心に仲間で検討を重ね、内容を練り協力しながら実施した。話し合いでは、新しさや面白さだけでなく、美術教育としての意味が問われた。造形的な関心や能力を高め得るかということよりもさらに優先して、コミュニケーションを作り出し得るかということが問われたのである。理想のワークショップとは、この両者が一つの活動の中に融合したワークショップである。このような理想を具現し得たものが「うちのDEアート」にどれくらいあったかは評価の難しい問題ではあるが、「うちのDEアート」における子どもを対象としたワークショップや活動の存在は、一般の観覧者には見えにくいものではあっても、小さくなかったと考える。ここでは、三つの事例を紹介しておく。一つは、これも第1回目（2001）のものであるが、《緑の丘にすみかを作ろう》である。西内野小学校には、「緑の丘」と呼ばれる自然の雑木林然とした広い中庭がある。そこの気に入った場所に子どもたちが一人あるいはグループで、大量に集められたダンボールで好きに「すみか（家）」

を作るというものである。中には保護者も一緒になって作っている家もあった。その場合は、保護者が張り切り過ぎて子どもがいつの間にか主役でなくなってしまうことが多い。子どもが自分たちだけで作ったすみかの方が、奇想天外な発想とアイデアに満ちていてはるかに魅力的な家になる。しかし、このワークショップで特徴的なのは、めいめいですみかを作って終わりではなく、その後に、すみかの中で持参した弁当を食べたり、他のすみかの住人たちと交流する活動が用意されていることである。自然を表す林の中のあちらこちらにさまざまな家が建てられた。しかし、そこに人のつながりがなければ村や町にはなり得ない。そういうわけで、大きな名刺を手に、家々を訪ねて名刺交換し、また家の中に招き入れる活動を行った。こうやって、小さいが原初的な人類の集住生活、共同体の追体験を目論んだ。家という物質的な支えと、人同士のつながり合いの二つが、人間が幸せに生きていくためには必須であることを、おのずと感じ取ってもらいたいというのが

込められた意図であった。自分の家と他の家に電話線を張ることを思いついた子どももいて活動を満喫していた。

　このワークショップは、実施側に伝えたい明確な思想内容があるが、それが押しつけにならないように配慮されている。ダイナミックに体全体を使いながら、子どもが友達と一緒になって協力し合いながら伸び伸びと楽しめる活動であったといえる。

　ワークショップには、子どもの造形活動に対するしっかりとした理念が重要であるが、このワークショップとの類似と相違で興味深いのが、ちょうど10年後の2011年に行われた《うちの子ども町》である。これは「内野に子どもの町をつくろう」というコンセプトで、町中の新川公園予定地に子どもが自分の力で秘密基地を作るというもので、その点《緑の丘にすみかを作ろう》とよく似ているが、その分、比較すると違いも際立つ。一番の違いは、《うちの子ども町》は、子どもの町を日常的な場として現実の中に生み出そうとした点である。《緑の丘にすみかを作ろう》の「原初的村」と

いうのは象徴的な身振りであり、日常の中では実現不可能な特別な場を一時的に生み出そうとしたものである。いわば夢のユートピア空間である。しかし、《うちの子ども町》は、「うちのDEアート」の期間中続く子どもの遊びの拠点である。以前、子どもはよく秘密基地を作ったり、そこに集まっていろいろな遊びをした。これを現代の子どもにも体験してもらおうというものである。傘の布をつなぎ合わせたカラフルなテントを建てておき、そこで子どもは自由に基地作りをする。また、「万華鏡作り」「巨大すごろく大会」なども開催して楽しむ。《うちの子ども町》では、空間、時間、関わる子ども、保護者、学生の顔ぶれ、遊びや活動内容など、すべてが開かれていて曖昧であり、くっきりとした境界がない。新川公園予定地は、学校の中庭とは違ったいわば未だ確定されていない「空き地」である。活動時間も何時から何時までとはっきり確定したものではなく、緩やかに集まっては去っていく。熱心に通い詰める子どももいれば、母親に手を引かれ様子を見

に来た子もいて、また基地作りを手伝う大人も出てきたりする。これは、かつてはあったが今は無い独特な子どもの遊び空間を、現実の中で仮想的ではなくリアルなものとして現出させようとした、ワークショップというよりも一つのプロジェクトであった。

　三つ目は、参加型アート作品であり、これもワークショップに特化した活動とは異なるが、子どもを対象にした活動の別な形を示している。それは、《遊び屋》（2007）である。遊び道具やおやつ、クレヨンなどの落書き材料を積んだ自家製屋台を引いて公園や空き地を巡り、屋台の前には椅子を出して、それらで遊んだり会話を楽しんだりするというものである。前の二つにはなかった特徴は、屋台を引く作者が、町の住民や子どもの関心を引こうと自ら積極的に動くことである。お金こそただであるが、屋台の商売人や縁日の香具師と同じスタイルであり、子どもに魅力的な物やサービスを売ろうとする姿勢を示している。前二者のワークショップでは、コミュニケーショ

ンとともに、子どもが自らの手で材料と格闘しながら作りたい物を作り出すという、子どもの主体的な創造活動を醸成する狙いがベースになっていたが、《遊び屋》では、サンタクロースにプレゼントをもらう子どものような、より受け身的な位置にあるのは確かである。しかし、このことをもって、この活動はあまり望ましくないと断じるのは早計である。子ども相互の積極的な交流や、知らない大人との会話が少なくなっている現状のことを考えれば、共同制作のようないきなり高いハードルに挑ませるよりも、まずささいなコミュニケーションを生み出すことを大切にする活動には固有の価値があるといえる。1990年代に急速に増加したコンビニエンスストアでは、マニュアルで訓練された店員の滑らかな動きに補助されて、私たちは一言も言葉を発することなく欲しい物を買うことができる。ここでは、気遣い、行き違い、摩擦の最小化が追求されて、文字通りの利便性が実現しているが、それと引き換えに小さな人間くさい関わり合いの幸福感も手放してしまった。

《遊び屋》では、他人同士が物を仲立ちとして、淡いコミュニケーションの感触を取り戻させるのである。

　この屋台のような仕組みを用いた活動は、「うちのDEアート」の中でいくつかのバリエーションを生み出している。2011年の《内野花子の旅》は、「謎のデコチャリに乗った人物が内野のまちを駆け巡る！」として、主人公のパフォーマンス性をより顕著にして、号外配り、絵日記制作、自転車装飾など雑多な活動をして、突き抜けたエンターテインメント性で、型にはまらないコミュニケーションを試みた。また、2013年の《進め！ベジックス》は、屋台という仕掛けを子どもの創作活動に適用したワークショップの試みである。内野中学校の美術部の生徒が自分たちで考えた屋台を作り、それを引いて町の小さな子どもたちを楽しませようというプロジェクトであった。必ずしも思いどおりに行かなかった面もあったが、屋台で中学生を主役にしてコミュニケーションを生み出す活動を行おうとした狙いは評価できると思う。

4．地域アートプロジェクトの問題点

　以上、断片的ながら「うちのDEアート」の作品やワークショップの幾つかを見た。必ずしもここに取り上げたものが最も優れた代表作ということではなく、「うちのDEアート」をコミュニケーションの観点から見直したときに、それがおおむねどのような形態を取っていたかを見るためのものである。さて、このようなコミュニケーションを目指した「うちのDEアート」をどう評価するかであるが、その前に「うちのDEアート」もまさにその一つであるところの「地域アートプロジェクト」の問題について考えて見たい。

　熊倉純子、長津結一郎の「アートプロジェクトとは何か？：その歴史と地域との関係性」によれば、アートプロジェクトとは、日本では1990年前後から盛んに行われるようになった従来の作品中心の展覧会とは異なり、簡単にいうならば「美術館やギャラリーなどの「外部」で開催されるアート活動のこと」とされている[3]。また、それらは「同時代の社会のなかに入り込ん

で、そこに存在する個別の状況に関与しながら、その状況に何らかの変容をもたらそうと試みる表現活動」であり、さらに担い手が多様で、アーティストに加えて、自治体、大学、企業、市民グループなどが共同で主催しているのが特徴であるとされている。『地域アート　美学　制度　日本』の著者である藤田直哉は、「地域アート」という言葉を用いている[4]。「まえがき」で「「地域アート」とは、ある地域名を冠した美術のイベント」と定義し、「「地域アート」は、「現代アート」から派生して生まれた、新しい芸術のジャンル」と述べている。海外に目を転じれば、関連する動きはやはり1990年以降に顕著になったことが分かる。クレア・ビショップは、『人工地獄　現代アートと観客の政治学』において、それら、ソーシャリー・エンゲージド・アート、コミュニティ型アート、実験的コミュニティ、対話型アート、協働型アート、ソーシャル・プラクティスなどをまとめて「参加型アート（パーティシペトリーアート）」と呼んでいる[5]。「アートプロジェクト」、

「地域アート」、「参加型アート」は、厳格な定義付けではなく利便性を重視して、特徴を共有していると思われるアートをまとめてラベルを付けただけの大くくりの呼称であり、ここでは特に区別する必要はないので、「アートプロジェクト」で代表させておくこととするが、日本の前二者と海外の後者ではニュアンスは異なる。芸術をアーティストの個人性の表現ではなく、社会的なものを指向する点では共通するものの、社会への関与の姿勢が、日本では協働やつながり、また全体としての一体感を生もうとする傾向が見られるのに対し、海外では、状況批判や変革のための行動に向かうことが多いように思われる。日本では、対立よりも融和が求められ、アートプロジェクトは、「アートを用いて地域が盛り上がるためのお祭り」に近づく。

　地域アートプロジェクトの背後にあるのは、20世紀におけるアート（芸術）概念の変容である。デュシャンのレディ・メイド作品に見られるように、アートは美や網膜的な効果に縛られるべきではなく、それら

からは自由に、新しいアートの考え方を生み出すことができれば、それがアートになるとする捉え方である。しかし、デュシャンが、高踏的なアーティストのポーズを手放さずシニカルに社会と対峙したのに対し、今日のアートプロジェクトのアーティストは、社会の中の一員として、積極的に社会的な役割を引き受けようとする。20世紀の前半には、デュシャンのような隠者的アーティストばかりだったというわけではなく、ピカソが《ゲルニカ》を描いたように社会に向けてメッセージを発したり、ロシア構成主義者のようにユートピア的な未来社会の建設を目指したアーティストもいたのは事実である。しかし、彼らの社会指向は、既存の思想やイデオロギーに関連があるとしても、彼らのアートはそれらと取り換え可能なものではなかったし、また置換は決して許容し得ないものであった。しかし、今日のアートプロジェクトの考え方では、なによりも優先されるのは、参加者同士のコミュニケーションであり、それによる地域の活性化であり、地域アイデンティティー

の共有による安心と安らぎである。これらに資するものであればその作品には価値があるとされる。つまり、作品の価値を定めるのは、参加者の共感や満足であって、それと距離をおいたアート・ワールドや普遍的な原理ではない。アートプロジェクトは、いわば、民主主義的なアートの宣言なのである。しかしこの宣言は二重の意味を帯びている。アーティストとしての参加者と一般参加者では異なった意味を持つことになる。アートの専門家ではない一般参加者にとっては、よそよそしさを感じることなく自分たちが心から楽しめる作品がアートなのであって、もう気後れを感じる必要はないのである。一方アーティストは、社会に役に立つことをあえて引き受けることで、芸術と社会の関係に関わるアートの概念の更新を宣言しようとしている。

　アートによって、社会の課題である地域のコミュニケーションが醸成され、人と人との結び付きが生まれるならば、それ自体は喜ばしいことに違いない。しかし本当にそうだろうか。そのアートが作り出すコ

ミュニケーションや人の関係がいかなる性格のものであるのかによるのではないだろうか。次に、アートとコミュニケーションの関係について考えたい。

5. アートはどのようにコミュニケーションに関わるのか

表現であるアートは、絵であれ彫刻であれもともとコミュニケーションの欲求によって動機付けられ、コミュニケーションを目指す活動である。従って、コミュニケーションはアートプロジェクトの専売というわけではない。そもそも、アートがコミュニケーションをもたらしうる唯一のものでもない。人は、アートが無くとも直接他者とコミュニケーションできるではないか。しかし本当にそうなのだろうか。私たちは言語を持っている。自然言語意外にも表情や身振り手振りのボディ・ランゲージも使う。これらを多用して現代人は生活している。人は、言いたいことを言うことができるし、人の言うことを聞くこともできるはずである。ところが現実には必ずし

もそうはなっていない。あるネット調査では、72.4％の人がコミュニケーションに苦手意識を持っているという[6]。この数字からは、苦手だと感じる人の多くは、自分のコミュニケーションスキルの不足のせいであると思っている姿が浮かぶが、逆から見ればスキルさえあればコミュニケーションが可能だと考えていることがうかがわれる。しかし、スキルがあっただけでコミュニケーションが満たされるわけではない。

対話の哲学を唱えたマルティン・ブーバーは、「世界は私のとる二つの態度によって二つになる」とし、それは〈われーなんじ〉("Ich-Du") と〈われーそれ〉("Ich-Es") という態度、関係としたが、これはコミュニケーションの違いにも当てはまる[7]。筆者は、このブーバーの考えとレヴィナスの他者概念を結びつけて「他者コミュニケーション」と「同一者コミュニケーション」の違いを主張し、美術教育の実践と結び付けて論じたことがある[8]。スキルが問題になるのは、既に在る内容が伝わるか伝わらないかという情報伝達の巧拙の問題で、「同

一者コミュニケーション」に関わることである。「同一者」というのは、相手の他者性を素通りして自分の認識が捉えた相手であるからである。その時、相手は私の認識対象でありまた認識内容でもある。私の認識は私と同一であり、従って私が認識したと称する相手も、実は私の認識世界を構成する一部であって、私が到達できない真の外部としての他者ではない。

　「他者コミュニケーション」と「同一者コミュニケーション」という観点で今の状況を見直したとき、どのようなことがいえるだろうか。それは、我々がコミュニケーションを欲しているときに、実際はこの二つの可能性があるのに、コミュニケーション能力を高めるという言い方に含意されている「同一者コミュニケーション」しか思い浮かべられていないということである。「同一者コミュニケーション」の最高形態は、クローンか、あるいは絶対に逆らわない進化したAIないしロボットとの、水のように滑らかなコミュニケーションである。

　しかしこのような抵抗のないコミュニケーションで、人を満足させられるのか。人が心の底で望んでいるのは、私をちゃんと理解してもらいたいということであり、理解するとは、私が感じていることをあなたも感じてもらいたいということである。そしてこの「感情」は、私のある物事に対する価値を表しているということを、プラグマティズム哲学のウィリアム・ジェイムズが指摘している[9]。ジェイムズは、人が物事に対してある観念（考え）を持ち、それに基づいてその物事が重要であると考えることがあるのは、その観念が感情と結び付いているからだという。もしも、感情というものがなければ、観念に好き嫌いもなく、それが意義深いとか価値があるとかということもいえなくなる。ところがとジェイムズはいう。「けれども、このような感情はひとりひとりの心のなかにひそむ重大な秘密なのであって、自分の抱える義務や状況の意義深さを、他人にいくら共感してもらいたいと思っても無駄なことなのです」。こうして、われわれは自分の感情を大事なものと思っているのに他人の感情に

ついてはひどく鈍感で、他人の生活の意義や理想の価値についても思い及ばず、誤った判断に陥ってしまうのである。この他者への想像力の欠如が、我々のコミュニケーションを阻んでいる最も根源にある理由である。我々は、適切なレッテルを貼ることで他者を理解しようという誤った努力を重ねるが、他者理解からは遠ざかるばかりである。

このような他者関係を超えた深い他者関係は、「愛」において現れる。

実存的思想家のシモーヌ・ヴェイユは、「隣人愛の極致は、ただ、「君はどのように苦しんでいるのか」と問いかけることができるということに尽きる」という。そして、「その目は、何よりも注意する目である。こうしてたましいは、自分自身のものをことごとく、捨て去って、今その目で、あるがままに、まったき真実のうちに見つめているものを、自分のうちにむかえ入れることが出来る。注意力をはたらかす能力をもつ人だけに、このことが可能である」と述べている[10]。また、別な所では「純粋に愛

することは、へだたりへの同意である。自分と、愛するものとのあいだにあるへだたりを何よりも尊重することである」ともいう[11]。ヴェイユは、他者との愛としての関係は、同一化して自分の中に取り込もうとすることではなく、隔たっている相手をそのままに、ありのままに受け入れることだという。それには、注意すること、自分に気を取られて注意をそらしてしまわないように注意し続けることが求められると考える。絶対的に隔たった相手を、隔たりのままに保持しながらどこまでも注意し続けることが、愛という他者関係である。これは、「他者コミュニケーション」の最も純粋な姿であるといえる。

本章の冒頭で述べたように、アートはそもそもコミュニケーションに関わっているが、その関わりは「同一者コミュニケーション」ではなく「他者コミュニケーション」を指向すべきものではないだろうか。「同一者コミュニケーション」に必要なのは、コミュニケーション能力でありスキルである。今日、社会の中で盛んに重要性が叫ば

れており、教育の世界でも念頭に置かれているのは、主にこの「同一者コミュニケーション」である。しかしこれとは異なる「他者コミュニケーション」は、ぼんやりと感じられてはいるが、明晰には意識されないままである。それは、複雑化する現代社会が、あまりに〈われ－それ〉の関係に基づいた情報伝達と意思疎通による「同一者コミュニケーション」を必要とし、かつそれに依存しているからである。しかし、我々がその先に密かに求めているのは「他者」である。そしてその思いの中には、ヴェイユのいう愛が含まれている。アートが、語源であるところのテクネーとして技と発想力を駆使して、「同一者コミュニケーション」を促進するのを助ける役割を担うことは可能である。しかし、アートは、不在のコミュニケーションを我々の前に提示するものでなければならない。その提示の仕方は、非直接的である。「コミュニケーション」を「自然」なり「人」なり別なものに置き換えると理解しやすい。これらは科学や学問として、説明することができる。また、自

然保護なり人権を唱え運動するなら、それは政治活動であり実践である。しかしアートは学問や社会実践とは別なやり方で「自然」や「人」がどういうものであるかを探求するのである。このようにして、意識と言葉で明示できずに、今の社会の中で封じ込められてしまっている「他者コミュニケーション」に目を向けようとすることが、他ならぬアートに求められる社会への関与の仕方なのではないだろうか。

6．「うちのDEアート」におけるコミュニケーションの評価

　冒頭に述べたように、「うちのDEアート」は、始まりの第１回目からアートによって地域におけるコミュニケーションを盛んにすることを目的としていた。この目的は達成されたといえるのだろうか。達成された面と未達成の両面があるといえるだろう。なんといっても15年続いた事実は、その時限りの一過性のイベントとは同列に語れない意義を持っている。この継続の中で、住民にも最初は無視されがちだったのが、

次第に認知されるようになり、その中から
NPO「夢アートうちの」のように積極的
に協力、応援してくれる人たちも生まれた。
また、地域で続く祭りに参加する学生も出
てくるなど、住民と学生のつながりも濃い
ものになっていった。《暖簾路》ののれん
プロジェクトや「新川ほたる」など、住民
の高い支持を背景に、継続してほしいとい
う要望が寄せられるものも生まれた。後者
は、実施主体そのものが住民のNPO夢アー
トうちのに引き継がれて継続している。こ
れらは、間違いなく地域コミュニケーショ
ンの成果である。

　では、未達成なこととは何か。それは、
アートの持つ「他者性」を発揮して、その
力で「他者コミュニケーション」を生み出
すことである。達成されたコミュニケー
ションは、すべて「同一者コミュニケー
ション」であり「他者コミュニケーション」
ではないという意味ではない。「うちのDE
アート」の活動を通して、個別的な人と人
との出会いの関係が生まれる瞬間も数多く
あったと思われるからである。しかし、そ

れはアートプロジェクトであったからでは
なく、人と人が互いに関わり合うような、
どんな活動にも含まれる性質に依るとも考
えられる。アートの力としての「他者コミュ
ニケーション」は、異質性や乗り越えられ
ない距離の感覚を伴うことで活性化される
関係性のことである。他ならぬアートプロ
ジェクトとしてのコミュニケーションは、
二つの次元で追究されるべきである。一つ
は、他とは異なる特別な行為としてのアー
トの追究である。人の心を動かすのは、アー
トが強い他者性を持つからである。もう一
つは、コミュニケーション・アートとして
の追究である。ここで言いたいのは、誰に
向けて、何に向けてアプローチするかとい
うことである。マーク・グラノヴェッター
の「弱い紐帯の強み」という仮説がある[12]。
これは、重要で価値のある情報は、家族、
親友、職場の仲間などの「強い紐帯（結び
付き）」の人からより、ちょっとした知り
合い程度の「弱い紐帯（結び付き）」の人
からもたらされるというものである。これ
まで、コミュニティーに疎外を生み出すと

して「強い紐帯」に劣るものと見られてきた「弱い紐帯」が、コミュニティーに対してはブリッジの機能を果たし、分断から統合へ向かわせる働きがあるという。

仲間同士の「強い紐帯」は、考えや好みを似たものにして、安心で心地よい関係を作りあげるが、同一性のコミュニケーションしか生み出さない。「弱い紐帯」の人を介しては、別な人や集団の考え方や価値などがもたらされる。筆者の言うコミュニケーション・アートとは、今まで対象としなかった人たちに向けた活動である。そうした人たちは、原理的には無数にあると思われるが、実際にはある理由で選ばれた特定の人たちである。例えば特定の年齢層、職種、興味関心、ハンディキャップ、場所などが挙げられるが、その人たちに何かを提供するという狙いではなく、その人たちと関わりを持ち、その「弱い紐帯」から新鮮な「他者コミュニケーション」を生み出せないかということである。従ってこれは、各種集団にレッテルを貼って一塊として対するということではない。狙いは逆で、住民や子どもといった大くくりの一般化を排して、また同時に義務感やしがらみの「強い紐帯」とは違ったところで、個別的に人と結び付き新しい関係を作り出すために、具体的な人の在りように目を向けようということにある。

「うちのDEアート」は、コミュニケーションに関わって、住民や子どもとの間で、学生や教員との間で、地域にアートによるコミュニケーションを生み出してきた。ひとまず閉じることになった「うちのDEアート」の成果を今後にどうつなげるかはまだ決まっていない。どのような形態を取ることになっても、アートと教育の観点から、コミュニケーションの課題には終わりということはないと考える。

1 ここでの「うちのDEアート」の呼称の適用範囲については後述。
2 ジョージ・リッツァ　正岡寛司訳『マクドナルド化する社会』早稲田大学出版部 1999.
3 熊倉純子　長津結一郎 アートプロジェク

ト研究会編著『「日本型アートプロジェクトの歴史と現在 1990年→2012年」補遺』アーツカウンシル東京（公益財団法人東京都歴史文化財団）2013, 3-13.

4　藤田直哉編著『地域アート　美学　制度　日本』堀之内出版 2016.

5　クレア・ビショップ　大森俊克訳『人工地獄　現代アートと観客の政治学』フィルムアート社 2016.

6　就職・転職・進学情報、人材派遣などを行う会社「マイナビ」が2014年に行ったマイナビニュース会員の男女500名のアンケート結果。http://news.mynavi.jp/news/2014/05/06/063/　アクセス2017.1.10

7　マルティン・ブーバー　植田重雄訳『我と汝・対話』岩波文庫 1979.

8　佐藤哲夫「美術教育に求められるコミュニケーションの特質―対話による写真の実践と考察―」大学美術教育学会『美術教育学研究』第48号 2016.

9　ウィリアム・ジェイムズ「人間におけるある種の盲目について」　スティーヴン・C. ロウ編著 本田理恵訳『ウィリアム・ジェイムズ入門―賢く生きる哲学』日本教文社 1998, 185-192.

10　シモーヌ・ヴェイユ　田辺保、杉山毅訳『神をまちのぞむ』勁草書房 1983, 98-99.

11　シモーヌ・ヴェイユ『重力と恩寵―シモーヌ・ヴェイユ『カイエ』抄』ちくま学芸文庫 1995.

12　マーク・S・グラノヴェター　大岡栄美訳「弱い紐帯の強さ」野沢慎司編・監訳『リーディングスネットワーク論』勁草書房 2006.

実践的指導力を培うアートプロジェクト
教員養成の未来へ

柳沼　宏寿

1．はじめに（教育学部発信の意義と陥穽）

アートプロジェクトは「芸術（Art）」を社会的に「投企（project）」する試みとして、作品制作というよりも社会実践的な表現である。その意味ではプロジェクトの運営に関わること自体が実践的指導力を培っている。11年前、論者が新潟大学に赴任して間もない頃、初めて学生のワークショップを見た時のことを鮮明に思い出す。学部の2年生が子どもたちを前にして堂々としかも分かりやすい説明でワークショップを行っていた。それは現場の教員並み、いやそれ以上といっても過言ではなく、地域連携のアートプロジェクトで鍛え上げている成果に感心させられたものである。しかしながら、新潟大学教育学部の芸術環境講座は各学年に新課程（造形表現コース）が約20名と学校教育美術教育専修が約5名の、合わせて25名前後にもなる一方で、そのうち新卒で教員になる学生は多くて2〜3名である。新課程は教員免許取得を義務付けていないため当然といえ

ば当然だが、大々的にアートプロジェクトを推進し高度な実践的指導力を培っている成果を上げながら残念な話である。折しも、文科省による大学改革の渦中で新潟大学は新課程が廃止され、2017（平成29）年度からは学校教育美術教育専修のみの募集となった。教育学部でありながら教員採用率が低いことが問題視され、この財政難の時期においては本来の役目である教員養成に特化した教育をやれというわけだ。経済優先の改革は上意下達的で非情である。住民と地道に連携を継続しながら、大学として真の地域貢献を展開してきたにもかかわらず、芸術領域はいとも簡単に切り捨てられてしまう。もちろん我々教員は、地方の国立大学として芸術文化を担う役割が不可欠であることを訴えてきた。しかし「教育学部なのに教員を輩出しない新課程は不要だ」という論理に対し、「学生一人一人には素晴らしい実践的指導力が身に付いているではないか」という反論も虚しく響くのみであった。実はこの改革の波は未だ終わっていない。今後、教員養成としての役

割をどれだけ果たせたか、社会的なエビデンスを示すことができない限り学科としての存続すら保証できないだろう。それだけ厳しい状況に追い込まれているのである。

さて、いささか悲観的な内容に傾いてしまったが、冒頭で述べたように「うちのDEアート」として15年間展開してきた数々のアートプロジェクトは、学生に対し高度な実践的指導力を培ってきた。現在、教員以外でもさまざまな領域の先端で活躍する人材を輩出していることは事実だが、今後、教育学部の美術科としてどのように教育活動を展開していくべきなのか、学科自体の存続をも射程に据えながら考える必要があるだろう。折しも、2016年末に新学習指導要領の答申が出され、2017年度は移行準備期間となる。本論ではその答申の内容を踏まえつつこれまでの実践を分析していきたい。

2．プロジェクトにおける美術教育の位相

新学習指導要領では、アクティブ・ラーニングによる主体的・対話的で深い学び、あるいは教科横断型をはじめとしたカリキュラム・マネジメントが強調されている。そして、それらを実践する上での重要なポイントは「社会に開かれた教育課程」の実現にある。これは文字通り学校や授業の枠組みにとらわれない実践的な学びを指している。一般的には「総合的な学習」が連想されるかもしれないが、今回の「社会的に開かれた」という趣旨には、デューイ（John Dewey）のプラグマティズム（経験主義の教育理論）における「経験」を実質化して、「確かな学び」を「より確かに」する狙いがある。また、「総合的な学習」の反省も踏まえ、社会に開くことによって学びが見えにくくなる側面を乗り越えるために「何ができるようになるか」を合わせて問いかけているのである。「図画工作・美術科」の領域について「芸術ワーキンググループにおける審議のまとめ[1]」を参照すると、「感性や美的感覚、想像力を働かせて」「（色や形など）造形的な視点」の二つの文言が繰り返されており、これらの視点から教科

性を明確にすべきことが提言されている。加えて「実感としてわかること」という表現も目立つ。「確かな学び」の確からしさを、子どもが抱く「実感」に捉えようということである。私見だが、ここでは、五感を通した「理解」、「納得」、「気付き」、あるいは「学びの文脈」が成立する（個人の外的文脈と内的文脈がつながる）ことによって得られるリアリティーというような認知科学的な解釈が必要だと思う。

　ところで、新学習指導要領の狙いは、現代芸術の潮流における表現のパラダイムシフトと重なっている。川俣正と桂英史はアートプロジェクトのプロジェクトとしての特性を「脱＝作品化」と「社会的文脈への介入」の二つとして捉えたが、それは芸術の表現パラダイムが「作家による作品制作」から「鑑賞者（一般大衆）への表現の解放」へシフトしている様相と連動するものである[2]。つまり、現在の全国的なアートプロジェクトの隆盛は、現代芸術が芸術という概念にはびこる「高尚なもの」的要素を取り払い、芸術の原理を鑑賞者（一般大衆）へ解放（開示、体感、経験）させようとする営みが一般化したものと見ることができるのである。特に、そこで確認されるパラダイムシフトは、まさに「実感としてわかる学び」の在り方にも求められている。

　それらを踏まえれば、新潟大学が取り組んできた「うちのDEアート」は、教育学部発信のプロジェクトとして、意味がなかったわけではないことが分かる。むしろ、どのような教育学的意義があったのかを明らかにしておくことは総括の一つとして重要である。本論では、新学習指導要領で強調されている視点のうち、「社会的に開かれた教育課程」と「実感としてわかる」という二つに焦点化し、これまでの子どもを対象としたワークショップの中から、これからの学校現場へ生かせるものを抽出して論じていきたい。

３．新学習指導要領の視点から
（1）社会に開かれた教育課程として
　社会的に開かれた中で地域性を活かした

実践を行うには、一回性のワークショップ的活動では難しいものがある。これまで実施された数多くの企画の中でも比較的長期にわたって子どもたちに関わった事例を二つほど取り上げてみたい。

　一つは2005年の《内野中アートの時間》（図1）である。この企画は3カ月間にわたって中学生と学生が関わることができた実践で、「切り絵」という、中学生にとってさほどインパクトのある題材でなかったにもかかわらず、校外での取材と展示のサイクルが彼らの表現意欲に結び付いた事例である。風景を切り絵にするというのは初めての経験で、単に描写するのでは切り絵としての魅力が得られないことに多くの生徒が戸惑った。しかし、その制約自体が「内野町らしさ」により迫るための契機となる。風景をどのように切り取り、また、どのように単純化すれば「内野らしい風景」を表現することができるのか。シルエットに単純化するという制約を通して、また、最終的に街中に展示され地域住民をはじめとした内外の鑑賞者の目に触れることも含

図1　《内野中 アートの時間》（2005）

めて目標イメージが形成されていく。その過程が、生徒の造形感覚を研ぎ澄ましていった。この企画の柱は、内野町で取材して内野町で展示するという循環にある。学校における美術の授業が教室から解放されることにより、自然や社会から刺激を受け、そこで感動したことを表現し、それを自然や社会に返すという循環である。芸術本来のダイナミズムが回復されているといえよう。

　そして2008年に笠木小学校で実践した《かみさま降臨！》（図2）も、学生が6回にわたって学校へ出向いたものである。学校行事の中でも、この学校の象徴的な「稲

作」をテーマに取り上げて造形活動を演出した。この時、テーマを造形化する必然性は二つの方向からのアプローチによって抱かせている。一つは、体感する造形遊びの経験から発展させること。もう一つは、稲作を成功させるための祭儀を企画することである。まず、造形遊びとしての巨大バルーンづくりは造形化した概観を鑑賞するにとどまらず、それを使って遊んだり内部に入り込んだりするなど、造形の特質を構造的特徴から体感させることを意図してもいる。初めに《蛇トンネル》、《魚とキリン》など特殊な造形の面白さを味わい、その経験を神様の表現へとつなげる。そして、自然の摂理に対する畏怖の念を抱かせつつ、祭儀としての神様をパネルと巨大バルーンで表現していく。学校内に一区画設置されている田んぼでの稲作は、彼らにとって最も大事な学びであり、その実現のために大きな願いを抱いている。その願いを造形に表すという意味で目的が明確に設定されていたといえる。

　社会的に開かれたカリキュラムは、美術教育にとって近代の学校制度によって切り取られ宙づりにされた表現行為のシステムを、本来の形に戻すことと捉えることもできる。社会から受けた刺激を基に表現し、その表現を社会に返していく循環こそが、人間にとって本来の芸術表現であろう。その循環を生み出すためには、まずその地域の歴史性や風土や慣習などとの出合いを演出することが重要である。さらに子どもたちの作品を廊下に展示する終着点から解放し、社会へ発信する多様なアプローチが求められる。

図2　《かみさま降臨！》(2008)

(2)「実感として分かる」を仕掛ける

　授業がプロジェクト的であることは、子

どもたちに目的意識や課題意識を抱かせ意
欲的な学習態度を形成する。新学習指導要
領で強調されているアクティブ・ラーニン
グを形成する上でも重要な要素である。そ
して「実感として分かる」という謂いには、
それが「這い回る経験主義」と同じ状況に
陥ることなく「確かな学び」を押さえるべ
きという狙いが込められている。「分かっ
た」、「できた」という学びの成立が実感と
して自覚されるような学び、言い換えれば、
言葉の理解を越えた直観的な「納得」、「気
付き」が得られることである。造形表現に
おいては五感を通した学びがその次元に迫
るものと考えられる。そもそも「ワーク
ショップ（workshop）」とは本来「工房」
を意味する言葉で、ものづくりの現場での
創造的営為を体感するようなニュアンスを
含めて使われている。先述した現代芸術の
流れと連動した概念である。ここで「うち
のDEアート」の実践から「体験」するこ
とを重視した実践例を紹介する。
　まず、幼稚園に巨大な立体キャンバスを
出現させた実践がある（図３）。２tトラッ

図3　《びっくりキャンバス〜あそんでさわってか
わって〜》(2005)

クを数回往復させて運び込んだ９体の立体
キャンバスは各1.5mの大きさで、園庭に
並べられた景観がまず子どもたちの日常を
大きく変貌させた。キャンバスに近付くや
いなや、子どもたちはわれ先に立体キャン
バスへ飛び乗り感触を味わい始めた。他の
園児もすぐに呼応して身を投じて遊び出し
た。まず、それを制止させ本来の作業に入
るのに苦労したほどである。体全体でキャ
ンバスの感触と圧力感を味わった上で、準
備された絵の具を手に付けて塗っていく。
ごわごわした布ではぺたぺたと押し付け、
すべすべしたビニールでは滑らせながら、
キャンバスの布地の質感をフィードバック

しながら手法を拡散させていく様子を観察することができた。「立体キャンバスとの出合い」は、新鮮な状況設定によって子どもたちの本能を呼び覚ましたといえる。

また、同様の実践として2009年に寺尾中央公園で実施した《おりおり折り紙》(図4)がある。高さ1.5m幅3mにも及ぶ巨大な鶴の折り紙の制作は、「紙を折る」だけでも数人がかりの労働作業である。普段作り慣れているものだけに目標イメージは明確だが、「巨大」という違和感が未体験で魅力的であった。複数の子どもたちに挑戦的な意欲が一気に喚起され、自然に協働作業が成立していた。

これらの実践では非日常のスケール感が子どもたちの五感を揺さぶっていたが、一方で触覚を刺激するワークショップが酒蔵で実践された。濱倉酒造の精米室で行われた泥団子500個のインスタレーション《おらったの無限玉》(図5)は、地域の土で泥団子を作るワークショップを行い、それを集めたものである。地域の土を材料とする意味で地域との関連が意識されていると

同時に、泥を固め磨くという、単純でありながら根気と造形感覚を要する作業である。土に触れ、固め、磨くという手の触覚と行為のフィードバックループが場所の歴史性と重複しながら作品や展示空間を創り上げていた。

その他、地域や場所の歴史性を掘り起こしていた表現として、2012年に黒埼地区の旧板井小学校で行われた「いてぇもん物語─おわってはじまる校舎の記憶─」では多くの好実践が展開された。その中でも、《よみがえれ学校の音》(図6)は、廃校となった学校にかつて子どもたちが通っていた頃の、学び、遊んでいる情景を言葉のオブジェのインスタレーションによって表現

図4 《おりおり折り紙》(2009)

図5 《おらったの無限玉》(2009)

図6 《よみがえれ学校の音》(2012)

したものである。校舎内を歩きながらそれらを見ると、知覚と記憶が脳裏を旋回し、あたかもタイムスリップしたかのようなリアリティーを抱かされるものであった。

　これらの実践では、いずれも鑑賞者の感覚に働きかけるような仕掛けが演出されている。さらに、その場の風土や歴史性を調査し、さまざまな文脈を交差させながら造形表現に必然性をもたらしている。そのような事前のリサーチと伏線が子どもの表現活動に「実感として分かる」学びを成立させているといえよう。

4．授業のパラダイムシフトへ

　「実感として分かる」とは、芸術表現において「表現のリアリティー」を自覚することである。そして「表現のリアリティー」とは「思いや願いなどのメッセージ、あるいは造形要素の意味や役割が感受される」ことを意味している。図画工作や美術の授業において「分かった」と思ってほしいのは、まさにそこである。また、芸術作品の特徴や良さというものは、作者の意図したものばかりでなく、鑑賞者のまなざしにより新たに掘り起こされるものもある。つまり、作品を媒介にして織りなされるダイアローグの過程に美的秩序や造形要素が浮上してくることも表現の醍醐味であり、図画工作や美術の授業は、そのように「美術の発生原理」が構造化される現場なのである。

図画工作や美術科の授業は学校教育の一教科として機能すべきことは前提としても、芸術表現本来の意義に立ち戻る重要性も忘れてはならない。巨大なシステム内に定住すると、我々は合理的で予定調和的な考え方に馴化しがちである。教師として、評価やコンクール出品などに追われながら、作品主義に偏らない理想を維持することは決してたやすいことではない中、「授業のパラダイムシフト」とは、我々が自らの収束的な思考態度を自覚し、そこから解放されることを通した授業創造を意味する。つまり、アートプロジェクトが目指してきた、高尚で様式化されたアートの概念を解き放ち芸術の生成的な現場を演出する営みは、まさにこれからの美術教育に求められる授業像なのである。

一方で、新学習指導要領では「社会に開かれた教育課程」において学びを実質化するため、先述したように、今後「何ができるようになるか」が厳しく問われてくるだろう。社会に分け入り、アートをプロジェクトすることによって、何がどのように変わったのかを客観的に評価し説明責任を果たすことがより一層求められるのである。芸術領域における教育活動の成果は、知識や技能のみで推し量れるものではなく、美的感性に支えられるような要素も多い。したがって、「何ができるようになるか」という問いに明確に答えるためには、ルーブリック評価やパフォーマンス評価などを駆使しながら、子どもの学びを分析し提示する努力が今後必要となってくるであろう。美術教育には「知性」と「感性」を融合させた認識が求められる。その特徴をアピールし、子どもの人間形成にとって重要な美術教育の意義を守っていくことも教師の役目なのである。

「美術の発生原理」が構造化される現場としての授業、言い換えれば授業自体が芸術的であること、それが新学習指導要領の目指す美術教育像である。実は、そのようなビジョンを100年以上も前に掲げていた芸術運動が存在する。1890年代から1910年代にかけて興ったドイツ芸術教育運動（Kunst-erziehungsbewegung）である。

その運動の中でもバイエルンの民衆学校教師エルンスト・ウェーバー（Ernst Weber、1873-1948）は、そのような意味（授業において、子どもと共に新しいリアリティーを求めようとするような創造的意志による実践）を「授業芸術」（Unterrichtskunst）と呼んでいた。ビクター・ローウェンフェルド（Viktor Lowenfeld）やハーバート・リード（Herbert Read）の思想的原点ともいえるドイツ芸術教育運動の理想である。その「授業芸術」が、この現代において、改めて我々の実践に求められているといえよう。

　美術教師としての実践的指導力とは、芸術に関する知識や技能、そしてアートマネジメント能力ばかりではなく「授業」を創造しようとする前向きな意志でもある。本論では学習指導要領を踏まえた論考を展開してきたが、グローバル化が進む現在、学校現場は新自由主義的な縛りが強化され、教師にとってますます窮屈なものになっている。かといって、今の時代状況を俯瞰する限り文科省の提言に抗うのは得策ではな

い。むしろ逆手にとって乗り越えていく発想が必要だ。幸運なことに新学習指導要領の芸術分野に関してはその踏み台となりえる内容であると判断できる。

　「授業芸術」とは芸術生成のダイナミズムを原理とする。それ故、学校制度の持つポリティクスを払拭する装置となり得る。だとすれば、我々は、その原理に基づき、そしてその機能を活かすべく、ここから未来の教育をデザインするプロジェクトを始動させるべきだろう。

1　「教育課程部会　芸術ワーキンググループにおける審議の取りまとめについて（報告）」文部科学省中央教育審議会初等中等教育分科会芸術ワーキンググループ（平成28年8月26日付）
http://www.mext.go.jp/b_menu/shingi/chukyo/chukyo3/069/sonota/1377096.htm

2　「美術教育におけるアートプロジェクトの意味」『美育文化』　財団法人美育文化協会Vol. 59 No. 6　2009；川俣正＋桂英史「アートプロジェクト実践のスキーム」東京藝術大学先端芸術表現科編『先端芸術宣言！』岩波書店2004,56.

デザイン教育の可能性
実社会での実践から

橋本　学

1. はじめに

　実社会を見つめ提案を探すところから「デザイン」は始まる。常に他者の存在を意識しながら、他領域の専門家や、使い手となる人々との意見交換は大事な行程である。地域連携アートプロジェクト「うちのDEアート」の中で活動したプロジェクトでは、作品の質の向上を目指しながら、こうした経験を築くことを目的としてきた。

2. 「用と美との融合」

　我々の生活環境は日々変化し続け、便利で快適な空間が築かれているように見える。しかしながら、一方で利便性の追求から失っていった要素も多いのではないかと感じ、筆者は「用と美との融合」というテーマでデザイン研究に向き合っている（図1）。研究の中では、利便性の追求により無機質な形状になったシンプルなモノではなく、実用的用途以外の仕掛け（余地の機能）を加えた表現を目指している。この一見、無駄と思われる遊びの要素こそが、心に響く重要な用途であると考えている。

図1　用と美との融合における木材造形　2008年「数寄屋とあかり展」古川美術館　爲三郎記念館

　ゼミでの授業では、このような考えを基に機能造形、プロダクトデザインを中心に、付随するパッケージや視覚伝達デザイン・ディスプレーも含め、デザイン教育の指導にあたっている。その検証の場として地域連携でのアートプロジェクトを利用し、実社会の中での発表という形で展開を試みてきた。

3. 地域連携アートプロジェクトの活用：産学連携「UCHINO Sake Project」

　2000年から新潟大学教育学部芸術環境

図2 「うちのDEアート2007」より《インフォメーションセンター てくてく》

講座では、人々が日常の生活を営んでいる町中に出向き、芸術表現の新たな可能性を示す取り組みとして、筆者は、ゼミ学生の指導とともに、地域を見つめ、また、アートプロジェクトに付随するさまざまなデザインワークの実践、研究を行う場として向き合ってきた。

　アートプロジェクトを進めて行く中で、地域コミュニティーとの関わりも増えてゆき、会期中のにぎわいは年を重ねるごとに大きくなってきた。しかしながら、時代の流れは厳しく、プロジェクト実施当初、内野町に4軒あった酒蔵も現在は2軒となってしまった。残った酒造メーカーも変化す

る環境の中で試行錯誤して経営を営んでいる現状を後に感じ取ることとなる。

　その中の1軒の酒蔵、塩川酒造（図3）との関係は、初回の「うちのDEアート」から積み上げてきた。当初は、作品展示発表の場所として協力してもらっていたが、2009年からは、デザインゼミ企画として関わり、「デザイン教育の検証の場」として活動を続けてきた。その内容は、新商品のラベルデザインや、酒蔵を借りた空間演出、訪れた鑑賞者や地域の方を対象にした酒文化を絡めた造形ワークショップなど、デザイン総合企画の発表場として関係性を築いていったのである。そして、この企画

図3 塩川酒造株式会社（1912年創醸）
代表銘柄：越の関、越、願人、千の風、
Cowboy Ymahai、Fisherman

をデザイン研究室（橋本研究室）で、年次
を超えて積み重ね、「うちのDEアート」内
で築かれた企業と教育、研究の互恵関係の
取り組みを「UCHINO Sake Project」と
して自立させ活動を続けている。その流れ
を以下で紹介する。

(1) 2007年《Oasis》

《Oasis》は、塩川酒造の倉庫に使われ
ていた酒蔵の前室にて、筆者と、東京で活
動しているプロダクトデザイナー渡邊トシ
ヒロ氏とのコラボレーションによって築い
た空間演出企画である。

その構成は、筆者が木芯乾漆の技法で制
作を試みた花をモチーフとしたシャンデリ
ア「Flower Light」と、渡邊氏が、この空

図4 《Oasis》会場

間を見つめ新たにデザインを施したプロダ
クト「AIR FLOWER」を配置して、《Oasis》
（図4）の空間演出を施した。アートプロ
ジェクトの会期中は、この酒造の倉庫の空
間は、通り行くさまざまな人々との出会い
の場となった。新酒の仕込みが始まった時
期と重なり、日本酒の匂いが立ち込めた会
場には、酒造から提供してもらった日本酒

「千の風」の試飲コーナーを設け、風変わりなオアシスとして変貌をとげたのであった。

(2) 2009年《蔵や》

　筆者が、作家として関わりながら活動した2007年の取り組みを経て、この年の企画《蔵や》からは、研究室での学生共同プロジェクトとして位置付け、デザイン教育実践の場として進めていった表現活動である。塩川酒造の酒蔵を舞台として、イベント期間限定の《蔵や》をオープンさせ、パッケージデザインの実践として100本限定での新ラベルを施した酒の実験販売を試みた。

　展示空間の演出には、この空間を肌で感じて学生たちが制作した照明器具や、授業内で制作した漆塗りのちょこを配した試飲コーナーを設置し空間を築いた。また、鑑賞者が多く回ってくる週末には、にぎわいをつくる仕掛けとして、購入してもらったサンマをその場で焼きながら日本酒の試飲ができるイベントを開催し、世代を超えた地域コミュニティーを築きながら日本酒の新たなPRを行った（図5）。

図5　《蔵や》会場演出

図6　2009期間限定ラベル「越の関」

　ラベルデザイン（図6）は、展示空間の白壁の門が印象的だったことから「白」を

基調色として用いながら、特設会場《蔵や》のロゴマークも同時にラベルに配置し、期間限定のオリジナルという印象を強調した白地に銀の箔をあしらったラベルとなった。

このプロジェクトを通じて、大学でのデザイン表現の実態を企業側に示すことができ、後に、実商品開発での提案段階に関わらせてもらうこととなる（図7）。

図7　デザインゼミ大学院生と同講座内の書道科大学院生とで作成した新規商品「願人」のラベルデザイン

（3）2011年《うちざけ》

2009年に引き続き、研究室で期間限定のラベルデザインを配した酒の展示販売を試みながら、会場の空間演出とにぎわいをつくり出すための造形ワークショップを開催した。

この年の演出構成に用いたものは、倉庫内に大量に保管されていて使わなくなった酒瓶である。その瓶を彩りとして並べ、試飲会場のアクセントとした。また、空瓶に色とりどりのカッティングシートを貼り付け、オリジナルのボトルを作るワークショップも同時に開催した（図8）。

図8　ワークショップ会場演出

ラベルデザイン（図9）の構想は、菱形の枠は升、文字の右部のモチーフは稲穂、下部のモチーフは内野町に流れる新川の水流をイメージした構成を施した。文字は見る人の興味を惹きつけるよう幾何学的なも

図9　2011期間限定ラベル「越の関」

のとして大きく配置し、プロジェクト名の
フォントも合わせて構成しまとめた。瓶の
選定も透明な瓶から磨りガラス調の白い瓶
に変えて、透明なカッティングシートの面
だけが光の屈折で透明に見える仕掛けを持
たせた。完成したオリジナルラベルの越の
関は、「うちのDEアート」の期間中販売さ
れ、酒種は規格品であるのを知りながらも、
ラベルを気に入って酒を購入する来場者が
数多く、好評を得たのであった。

（4）2013年《蔵酒》
　2011年に引き続き、期間限定のラベル

デザインを手掛けた。また展示会場の空間
演出およびにぎわいをつくり出すための造
形ワークショップなどの仕掛けを模索しな
がら、酒蔵での検討会を重ねてきた。その
時に浮かび上がったものが酒文化の造形「杉
玉」であった。そして、酒蔵の方々から指

図10　変わり杉玉による空間演出
　　　杉の葉提供／農学部村松実習園農場

図11　杉玉造りワークショップ

図12　《蔵酒》2013年期間限定ラベル

導を仰ぎながら「杉玉造り」を体験し実験しながら、この年の構成要素として企画の中に組み入れていった（図10、11）。

　当時、塩川酒造では海外輸出事業に力を入れ始めた時期でもあり、日本食に限らずワインのように、肉や魚といった限定した食材に合う日本酒の開発に向き合っていた。伝統を守りつつも常に新しい日本酒のかたちを提供し続ける塩川酒造を見つめ、我々も現在の日本酒のイメージをクラッシュし、「若者にも親しみを持たれるお酒」を表題として、ラベルデザインおよび空間演出を施すこととし、そして企画名を《蔵酒》（クラッシュ）と決めた。

　ラベルデザイン（図12）のコンセプトは、精米された米が日本酒の滴となっていく様子を表している。青いラインは内野の川をイメージし、「塩川酒造の日本酒が内野から世界へ広がる」というメッセージを込め、日本酒の伝統的なラベル形状から、カジュアル思考としての印象を持たせるために、封印紙のような縦長に構成する形状を用いた。

　また、この年は、期間限定ラベルデザインを進めていた中で、急遽、塩川酒造が醸造する新銘柄の商品開発にも関わることとなった。日本と中国とを行き来した鎌倉時

代の禅僧雪村友梅の出生地が越後白鳥の地（新潟市西蒲区）との見解が見つかり、町おこしの一環として、その地の農業組合の提案をもとに新銘柄「雪村友梅」が開発された。そのパッケージ全般のデザインワークの依頼を受けたのである。

この関係は、デザイン教育実践を受け入れてもらってきた企業側との互恵関係の中での取り組みであって、契約料を決めない産学連携の姿である。話を受けた時期は、締め切りに近付いた中での参加であり、学生たちの若い感性が作り出すデザイン案をそろえて臨む中で、依頼内容を読み解く時間が足らず完成度を上げることはできなかった。受け入れたデザインワークの責務から筆者のデザインワークも加えながら、プレゼンテーションに臨み、結果的には、筆者が手掛けたラベルデザイン、化粧箱（図13）が採用される形となった。あえて学生たちにデザイン企画に参加できる機会を設けた理由には、クライアントが求めている商品企画のコンセプトに寄り添う形の提案が示せるか試してみたかったからだ。指

図13　新商品「雪村友梅」
　　　ラベル、化粧箱デザイン／橋本学

導が行き届かなかったと思われるが、ここでは学生たちが自立して考える機会をあえて作り、その結果であった。

そして、会期中は《蔵酒》と称した演出空間に、ゼミ学生が築いた期間限定の酒ラベルを配した日本酒と、筆者が手掛けた新銘柄の「雪村友梅」の展示発表に至った。

（5）2014年《新雪物語》

この年の企画は、隔年開催されてきた「う

ちのDEアート」の狭間の年に開催された
アートプロジェクト「うちのDEあい」で
の中での企画参加であった。展示構成とし
ては、前年度の会期後から、農学部と塩川
酒造との共同研究で開発された新潟大学ブ
ランドの日本酒「新雪物語」のリニューア
ルデザインに関わって活動してきた経緯か
ら、デザイン実践の成果発表という形で関
わることとなった。この商品開発の進め方
では、前年度の「雪村友梅」のデザイン提
案の方法とは変えて、学生自らの案を最終
的にはグループの総意の案として築けるよ
うに、筆者の監修の下で進めていった。

　「新雪物語」は、新潟大学と塩川酒造と
の産学連携で作られた新潟大学ブランドの
日本酒である。大学の実習田で農学部の学
生たちが育てた酒米を用いて仕込まれたも
のであり、この商品開発にデザインゼミも
関わり、産学連携、分野融合による商品開
発によって生まれ変わった。新たな「新雪
物語」のラベルデザイン（図14）のコン
セプトには、さまざまな人々が関わって作
られた酒のイメージを、ラベル面に反映さ

せる考えで、「関わった人」を「雪の結晶」
に置き換え構成していった。用いた雪の結
晶の図案は、この酒造りに関わった学生や
ソーシャルメディアを用いて共感しても
らったさまざまな人々から集めたものであ
り、一つとして同じ図案は存在しない雪の
結晶117個が「新雪物語」のラベル背景に
配置されたデザインとなった。

　会場に並べられた日本酒は、リニュー
アルされた270mlの「新雪物語」に加え、
次期提案も狙い、期間限定の720ml入り
の「新雪物語」のラベルデザイン（図15）
を施したものも展示し、販売を行った。

　展示会場の空間演出には、ラベルデザイ
ンの背景に用いているさまざまな人々から
提供してもらった雪の結晶を紙に抜き出し、
モビール状に天井面からつり下げるといっ
た演出を行った。また、会場を訪れた鑑賞
者にも「雪の結晶造り」を体験してもらい
ながら、できた作品は随時加えていった。

　この年のプロジェクトでは、前回までの
規格品に新たなラベルデザインを構成する
といったデザイン実践ではなく、商品コン

図14　リニューアルデザイン「新雪物語270ml」

図16　2013年の会場構成

な関係者が関わった日本酒の商品開発に参加でき、自分たちが手掛けた商品を実際に手に取ることができたことに、大きな達成感を得ただろうと感じている。

図15　提案商品　新雪物語720ml

セプトの再構築、瓶の選定、パッケージデザイン、広報戦略という商品ブランドを築くための本質的な流れの中で築いたデザイン教育実践であった（図16）。

　学生たちは、共同で進めてゆくデザインワークに戸惑いを感じながらも、さまざま

（6）2015年「ゆきどけ」

　塩川酒造の倉庫を借りたデザイン実践は、2009年から現行の仕組みを取り入れ、この年で5回目となった。この年の企画の特徴として、「うちのDEアート」自体が、2014年度の「うちのDEあい」から

つながった物語も含んでおり、「UCHINO
Sake Project」でも「新雪物語」から「ゆ
きどけ」というストーリーをつなげて築い
ていった。この年の期間限定のラベル（図
17）も、前年度の「新雪物語」からの流
れを意識し、デザインをまとめていった。

　オープニングイベントでは、市民参加型
の杉玉を制作しながら直径1.2mの半球状
の杉玉（図18）を作り、酒蔵の正面に設
置した。また、会期中盤には「うちのDE
アート」の共通テーマ「栄養」に添うコン

図18　杉玉

図17　2015年期間限定ラベル「ゆきどけ」

図19　試飲会イベント

図20 「いちやまか亀」
　　　ラベルデザイン：橋本学

図21 古代米の酒「SHISUI」
　　　ラベル、化粧箱デザイン：橋本学

セプトを持った塩川酒造の商品を集め、試飲会（図19）を開催した。出展した日本酒の中には、筆者がパッケージデザインを手掛け、米の表皮部分に価値を置いた山廃仕込みの酒「いちやまか亀」（図20）、ポリフェノールが多く含まれている古代米の表皮に価値を置き特殊な仕込みで醸造された「SHISUI」（図21）の二つの銘柄も出展した。また、学生たちが、この日のために用意した古代米の酒「SHISUI」の褐色の酒粕を用いた酒粕クッキーを来場者に振る舞い、自分たちが築いた「ゆきどけ」の会場空間のコンセプトや作品の案内を行いながら、有意義な時間は流れていった。

4．デザイナーの資質とは

　デザイナーとして実社会での企画を進めてゆく中で、プランニングはもちろんだが、現場との調整力、予算と時間、地域のニーズを読み取る力など、そのどれが欠けてもうまくいかない現実にさらされる場面が多い。

　我々が展開している地域連携のアートプ

ロジェクトの中では、地域社会との関わりの中で、プロジェクト全体の運営にも携わり、「総合的な表現力」の育成を目指している。この経験は、実社会に出た時の協同作業や、コミュニケーション能力、マネージメント力などを育む有効的な教材だと感じている。

5．まとめ

　豊かな生活環境とは、筆者自身の研究の立場で言い換えると「用」＝「機能的で快適な環境」、「美」＝「明るいコミュニケーションが生まれる癒やしの環境」この二つの要素の築きにあるのではないかと感じている。前者は、近年のテクノロジーの発展とともに高性能な機器類や、市場競争社会の中で、機能的には何不自由のない環境を安価に得られる社会へと成長してきた。しかしながら、後者の環境を見てみると、筆者が考える豊かさとは程遠い現実が見えてくる。均一的な都市構造の中で個性やユーモアを導き出す環境が薄れているのではないだろうか。テクノロジーが進む中で、造形思考の関わりが立ち遅れているようにも見える。

　デザイナーや作り手は、もちろん心の豊かさが大事な要素であることは感じている。しかし低価格競争に虐げられている市場で、実際、果たしてどれだけの対価を消費者は払うことができるのかが計れず、一つ先を行く企画戦略を持てないまま同業種の動向を探りながらの平均的な提案しかされていない。グローバルな見方ができる情報化社会となったが、我が国のモノづくりは、迷走しているように見えてきて仕方がない。

　その思いを発信する取り組みとしても、アートという自由な表現活動の実践に関わりながら、自由な感性で啓発する方法論はとても有効だと感じている。もちろん、協力してもらえる組織や企業があってこそである。「うちのDEアート」では、筆者の思いに共感し、商品企画に関わらせてくれた塩川酒造の存在があってこそということになる。そして「UCHINO Sake Project」が生まれていった。

15年間、地域と関わりを持ってデザインの教育研究活動をしてこられたことには、ヒット商品を作るという大上段の構えでスタートするのではなく、街や企業との相互関係の中で、時間を共有しながら自らが問題を発見し、解決策を見つけ出すといったデザイン思考の総合的な取り組みができる贅沢な時間が持てる環境であったからであろう。関わった学生にとっては、デザイン表現の経験値は低く、机上のプランを実践して実社会に落とし込む作業は難題だったかもしれない。だが、現実の厳しさを知ることによって、デザインという一見華やかにみえる行為の中に、地道な調整力や事細かい作業の実態を知る良い経験が得られたと感じている。また、商品に近い形で社会に提示するといった行為に達成感を持ったに違いない。

　こうした考えを基に、指導する学生たちは入れ替わってゆくが、これからも地域と積極的に関わりを持って、急がず、等身大のスケールで教育研究活動をしていきたいと考えている。

アーティスト・イン・レジデンス
彫刻公開制作と芸術文化交流

郷 晃

1．はじめに

　「うちのDEアート」2003、2005、2007の3回にわたって海外から3名の彫刻家を招いて、アーティスト・イン・レジデンスとして制作をしてもらった。アーティスト・イン・レジデンスとは、芸術家がある一定期間滞在して、公開制作を行い地域と交流する芸術文化交流の一形態である。

　この当時は、野村文化振興財団、日本財団、文化庁から「うちのDEアート」開催のための補助金の支援があり、海外芸術家の渡航費などに使わせてもらうことができた事は大変ありがたいことであった。

　本来なら招待の3名に自分も参加して4名で彫刻シンポジウムを開催したかったが、プロジェクトのタイミングや規模、内野町の大きさ、制作場所の確保、そして何よりも一回花火を打ち上げて終わるより、継続して行うことで町への文化の浸透という観点から、彫刻シンポジウムよりアーティスト・イン・レジデンスの形式が適していると判断した。

　さかのぼること1989年に長野県の八ヶ岳の裾野で、富士見町出身の彫刻家雨宮一成氏をアートディレクターとして富士見高原創造の森、国際彫刻シンポジウムが立ち上がって10年間、開催が継続した。当時の竹下登首相の政権公約であった「ふるさと創生一億円事業」の一環として、八ヶ岳山麓にリゾートエリアが計画され、その一角に彫刻公園を造成するための国際彫刻シンポジウムであった。

　彫刻シンポジウムは、1959年オーストリアの彫刻家カール・プランテルが当時衰退しつつあった石材産業の町サン・マルガレッテンにおいて、芸術文化と地域の産業の活性化を図るために彫刻家仲間に呼び掛け、石切場に共同の野外アトリエを造って彫刻の公開制作を行ったものが世界で最初とされる。世界各国から参加した彫刻家たちは、この事実に感動し、自国に帰り彫刻シンポジウムを企画開催する、こうしてこの芸術運動は世界中に広がっていったのである。雨宮は東京藝術大学を卒業後、ヨーロッパに留学しハンガリーなどヨーロッパ各国の彫刻シンポジウムに参加し活動して

きた彫刻家である。

　私は、1994年開催の第6回に参加した。そしてそこから多くの海外の作家と交流する機会を持つことができた。英語圏以外の彫刻家の参加も数多く、お互いに過去の自分の作品ファイルを提示して、言葉の壁を越えたところで交流するのである。3回にわたって内野町に来てもらった3人の彫刻家は、こうした交流の中からいずれ何かチャンスがあればぜひ招待したいと考えていた人たちである。

2．「うちのDEアート2003」

(1) フィリペ・トヒ

　フィリペ・トヒ氏と初めて出会ったのは、1995年の富士見高原である。民族色豊かな具象彫刻を制作していて大変印象的であった。そして1999年の1月にニュージーランドのウェリントンで開催されたタレイタンガ（Tarei tanga）彫刻シンポジウムに参加した折に、再びトヒに再会した。

　彼はトンガ王国の出身、ニュージーランドのニュープリマスを中心に制作活動を

行っていた。1999年の翌年、2000年のミレニアムにニュープリマスで現在も継続しているテ：クペンガ（Te：Kupenga）石彫シンポジウムが計画されていた。そしてそれに参加しないかと招待を受け、再びニュージーランドを訪問することとなっ

図1　フィリペ・トヒ

図2　制作中のトヒ（テ：クペンガ石彫シンポジウムにて）

た。トヒとは富士見高原では一緒に制作を することはなかったが、ニュージーランド の２回にわたる彫刻シンポジウムの期間中 一緒に制作を行い、彼の独特の仕事を観察 させてもらうことができた。

ポリネシア系の人々は、紀元前の時代か らハワイ、パプアニューギニア、フィジー、 タヒチ、サモア、トンガ、ニュージーランド、 そして絶海の孤島イースター島にまたがる 広大な海洋を手こぎのカヌーで航海し、共 通の言語体系を持つ南太平洋文化圏を形成 してきた。トンガ王国は、その中心的な役 割を果たしてきた国であり、ヨーロッパの 植民地とはならなかった歴史を持つ。

ポリネシアの人々はヤシの木を「生命の 木」と呼ぶ。木は、伐採されて住居や舟が 作られる。ヤシの木の実は、皮をほぐして 繊維をより合わせてロープが作られる。鉄 という素材を産出しないため、ナイフを シャコ貝の殻から作り、サメ皮のサンド ペーパー、ノコギリは、ノコギリザメの鼻 先を用いた。日本とは全く異なる自然環境 であるため、このような道具や技術が発達

したのである。

家を造る際には、ヤシの実の皮をほぐし たロープで柱や梁を固定し、またカヌーの アウトリガーを固定した。その結び方は、 ２本のロープを交互にクロスさせていく方 法である。トンガ王国のカヌーは、出航の 前日、船体を水面に降ろす。すると木が水 を吸って膨張し隙間が無くなり、船体の水 面上に浮かぶ割合が高くなる。ヤシの実の ロープは、より強く絞まって船が強固になる 特性を持つ。

２色のロープを交差させていくとそこに 正方形や菱形を基本としたさまざまな形の 幾何学紋様が現れる。人々は、その形に魚 や鳥、南十字星などのイメージを与え民族 の伝統や歴史が語り継がれてきた。柱や梁 を固定する機能と住居を彩る装飾として、 さまざまなパターンが生み出されてきた。 これのことをトンガ王国では、ララヴァ (Lalava) と呼ぶ。

トヒは、このトンガ王国に伝わるララヴァ のロープの結び方のパターンに着目した。 トンガ王国に帰国する際には、伝承者から

ララヴァの技法と歴史や精神を学んだ。

　後に彼は、後世にこの文化を伝えるララヴァ継承の第一任者に任命され、サモアの議事堂やオークランド大学の講堂にララヴァの仕事をしている。そしてこれを基軸として彫刻、ドローイング、版画、空間インスタレーションなど多様な造形を展開してきたアーティストである。

図3　サモアの議事堂内部（トヒによるララヴァ）

図4　トヒ《ララヴァ・パターンによる石彫》

図5　トヒ《マタキモアナ》

　2003年のトヒのレジデンスの時は、内野町のギャラリー画房「礫（れき）」で個展を行う計画であった。制作は、大学の石彫場や私の研究室で行った。「うちのDEアート」の期間が始まる3週間ほど前に来日し、夢アートうちのの代表者であり画房「礫」のオーナーの長谷川酉雄氏や他のメンバー、学生と盛んに交流の機会を持ちながら制作を進めていった。内野の新川に浮かぶ舟からヒントを得たという、上を向いた女性の顔と舟の形が融合した石彫《瞑想》、内部に立方体の空間を内包した《内なる天空》、持参してきたブロンズの小彫刻、角材を用いたララヴァの空間インスタレーション、ドローイングなどを展示した。ララヴァの

基本形とそこから彫刻やインスタレーションへの展開のあり方を紹介する展示であった。大学で制作された石彫《瞑想》は、長谷川氏らのご協力で寄付が集まり、夢アートうちのが購入する形でJR内野駅前に設置された。

　紀元前の時代から継承されてきたポリネシア民族の極めて伝統的な技術と紋様から新しい芸術表現を創り出していくトヒの一連の制作は、今一度私たち一人一人のバックグラウンドを見つめ直し、そこから何ができるのか、何をやるべきか、2回目の開催となった「うちのDEアート2003」へのメッセージとなる、とても示唆深いものであったと感じている。

(2) ジュリアーノ・ジュッサーニ
　彼も同じく、富士見高原国際シンポジウムの参加彫刻家であったが、彼が参加していた年には、私は富士見を訪問することなく彼とは面識を持っていなかった。しかし、トヒと同じく1999年のタレイタンガ彫刻シンポジウムにイタリアから参加して

おり、富士見高原の彫刻公園に設置してある私の作品を通して、彼の方から話しかけてきた。そこで富士見高原国際シンポジウムに参加していた彫刻家であることを紹介された。

　彼は、イタリアのミラノから電車で1時間ほどの都市、ベルガモの出身、在住の彫刻家である。ジュリアーノ・ジュッサーニ氏は、彫刻シンポジウムを渡り歩く彫刻家として世界各国を巡り制作活動を展開してきた人である。

　タレイタンガ彫刻シンポジウムで提供された石は、オマールストーン、大理石、安山岩と3種類であった。ジュッサーニは、その中のオマールストーンと呼ばれるとても柔らかく、日本人が持つ石の概念からはほど遠い素材を選んで制作していた。海の貝殻やサンゴが砂になって堆積した塊である。これをブロック状に切り出したもので、ノコギリやチェーンソーでざくざく切り落とされ、ヘラや大工ノミで削り出していく。いわゆる石材用のノミやハンマーとは無縁で巨大なクッキーやビスケットの塊のよう

図6 ジュリアーノ・ジュッサーニ

図7 ジュッサーニ《指紋》富士見高原創造の森
国際彫刻シンポジウム

である。当然私はこの素材に全く興味がな
く、大理石を選択していた。しかし後で振
り返ってみれば、このような柔らかい石材
が日本で採取できれば、学校の彫刻の授業
の教材としてとても有用性が高く、誰でも
気軽に彫刻に取り組める素材である。日本
の学校における美術授業のシーンも違った
ものになると思われる。

　タレイタンガ彫刻シンポジウムは、女性
アーティストも数多く参加しており、彫刻
家だけでなく画家、工芸家、建築家、写真

家などの人たちも参加していた。彫刻家以
外の参加者の多くがこのオマールストーン
を選んで制作していた。オマールストーン
は、くり抜くような加工が容易にできる素
材であるが故に制作のアプローチのあり方
も、他の硬い石材とは異なったものになる。
　花崗岩や大理石は、制作においてある程
度熟達した技術を必要とし、不自由さがあ
る反面、素材としての強靭さがある。また
磨くと美しい光沢や色彩が出てくる。しか
しこのオマールストーンからは、こうした

図8　ジュッサーニ《玉座》
タレイタンガ彫刻シンポジウム

図9　ジュッサーニ《アルター・エゴ》

工芸的特性や素材の強さは、期待できない。ジュッサーニは、イタリアにおいて大理石や石灰岩を数多く手掛けており、砥石で研磨して密度や形の張りを引き出すのではなく、櫛ノミや平ノミでさまざまな肌合いをつくり出し、そのディテールがもたらす密度で石の存在感と形を最大限高める事に集中していた。

　オマールストーンは、花崗岩や大理石のような素材の強さに助けられる事はない

が、柔らかく加工が容易なので誰にとっても気軽に彫刻に取り組みやすい。しかし逆に真に彫刻としての力量が問われる素材でもある。

　ジュッサーニの石という素材へのアプローチのあり方は、日本の硬い花崗岩や安山岩を用いて制作するときも一貫している。磨いて美しい光沢や色合いを引き出すのではなく、富士見高原における作品や、内野町で制作した作品も同様、形の上にさまざまな種類の櫛ノミや平ノミで肌合いを

造り出し密度を高めていく手法を取っていた。

　2005年のジュッサーニのレジデンスは、内野町の新川沿いの児童公園にテントを張り、コンプレッサーをレンタルし、隣の工務店の工房から電源を引かせてもらって公開制作を行った。隣の大工さんはとても親切で快く協力してくれ、またジュッサーニとの交流をとても楽しんでいた。

　ジュッサーニの姿勢は、彫刻シンポジウムやレジデンスは、ビジネスではなくフレンドシップのために参加するというスタンスであった。そのため、3週間というタイトな制作期間であったが、2点の作品を制作するという。1点は、本来のジュッサーニの仕事である。そしてもう1点は、フレンドシップの証しとして内野町の人々、内野小学校の子どもたちとの交流の記憶を残す物として、交流した人たちの手形を直接、石の表面に型取り、大きな安山岩の自然石に刻印していった。

　ジュッサーニは、当時の内野小学校の校長先生の計らいで体育館において、全校生

図10　ジュッサーニ《エネルジア》

徒の前で挨拶をしたおかげで子どもたちの人気者となり、毎日のように下校時に子どもたちが制作会場に立ち寄って石に触れ、工房の片隅にある、おそらく冬の暖を取るためのたき付けの木の断片をもらい、それにジュッサーニにサインやドローイングを描いてもらって交流した。制作期間中は、なぜか帰宅時間が遅いので心配した家庭もあったという。

　ジュッサーニのレジデンスでは、内野小学校の先生方をはじめ、PTAの役員の人たちに大変世話になった。完成した作品の処遇や制作者に提供する彫刻の対価のため、PTAの役員は、不要品を売るフリーマー

図11　ジュッサーニ《シナジー D》

ケットを企画開催した。また当時の学生たちも活動資金づくりのため、来日前の内野祭りの夜店にバザーを出店し、陶芸を志す学生の自作陶磁器類の販売、手形、足形の石膏取り、似顔絵を描くパフォーマンスを行い、レジデンスをサポートした。
　　　　せっこう

　内野小学校アプローチとグラウンドに設置された《ミーティングポイント》と《フレンドシップ》の2点の彫刻は、ジュッサーニを取り囲んで繰り広げられたさまざまな交流のメモリアルとしてのモニュメントとなった。この2点の作品とトヒの《瞑想》は、新たに再整備されるJR内野駅北側の公園に移設される予定である。

（3）アレキサンドル・パラシキヴ

　2007年に招待したアレキサンドル・パラシキヴ氏とは、1997年、第8回目の富士見高原のシンポジウムを訪問した時に出会っている。作品を一目見てとても気に入ってしまったのである。《カップル》と題された男女の具象作品の不思議な温かさは、初めて体感したものであった。世界は一つの家族というメッセージを最小の家族の単位としてのカップルで表現していた。紹介され、すぐ不思議と互いに意気投合して、連絡先の住所メモを交換した。

　パラシキヴは、ルーマニアの南部、ブルガリアとの国境近く、ドナウ河左岸のカララシ市の出身である。1997年に出会った時の住所メモを大切に保管していて、2006年にメモに書かれたルーマニアの首都ブカレストの住所に手紙を出した。しかしその当時彼は、南フランスのコートダジュール、ニースに隣接するグラースという都市に住んでいた。ある富豪が別荘として所有する城の壁画や装飾レリーフなどの保存修復と庭師の仕事をする城の管理人と

図12　アレキサンドル・パラシキヴ

して、城内のアトリエ付きの住居に住んで
いた。そのアトリエで彫刻を作り、パリや
ニース、ロンドンなどで個展による発表活
動を行っていた。

　たまたま、私が保管していたルーマニア
のブカレストの住所に手紙が届いた時は、
ちょうど帰国した時だったと後にパラシキ
ヴから聞いたとき、彼と連絡が取れたのは
奇跡に近い事だったと今では感じている。

　ほどなくして彼から、来日する旨のメー
ルが来た。前出のトヒとジュッサーニは
ニュージーランドとイタリアなので、ノー
ビザでよかったが、ルーマニア人は、ビザ

が必要とのことだった。外務省に相談をし
て、必要とされる書類をフランスのグラー
スの彼が住んでいる城に送った。彼はその
書類をニースの日本領事館に持っていきビ
ザを取得して、晴れて日本にやって来る事
になった。

　パラシキヴは、パートナーの女性を伴っ
てやって来る予定だったので、当初宿舎と
して予定していた大学のゲストハウスから
変更して、夢アートうちののメンバーが経
営する学生アパートの一室を借りることに
なった。ちょうど一室空いていたことが幸
いした。

　彫刻シンポジウムやレジデンスは、滞在
型の制作プロジェクトであるが故、期間中
の住環境は、プロジェクトの成功を左右す
るほど重要な項目である。部屋のオーナー
は、とても友好的で歓迎パーティーまで開
いてもらった。部屋は、さすがにホテルの
レベルとはいかないので、ベッド、テレビ、
家具、キッチン用具、当初必要な食料など
を準備した。また学生の協力で自転車を借
りることができたので、彼は、毎日アパー

図13 パラシキヴ《カップル》

図14 パラシキヴ《アダムとエヴァ》

トから１キロほど離れた制作会場を自転車
で往復することができた。

　完成した作品の処遇に関してどうするか
を模索していたとき、大変ありがたいこと
に柏崎の医療法人の院長から、新しくオー

プンする特別介護施設「くじらなみ」の庭
園にモニュメントとして彫刻が欲しいとい
う申し出を受けた。とてもタイミングが良
く、まさに渡りに船の状況であった。早速、
「うちのＤＥアート」の資料を持参して、院
長に会い、アーティスト・イン・レジデン
スのプロジェクトを行ってきたこと、今回
はパラシキヴを招待することを説明し、彼
の作品写真を見せたところ、とても気に
入ってもらえた。

　新築の柏崎の介護施設は、日本海を臨む
高台の大変眺めの良い場所に建てられてい
た。建物の外観や周辺の風景、設置予定の
庭園の写真などを撮影してパラシキヴに
メールで送り、この環境をイメージして作
品の構想を考えてもらうことに充分な時間
も確保できた。

　準備は、順調に進んでいたがその矢先に
とんでもない事態が発生した。新潟県中越
沖地震が起きたのである。柏崎市の被害が
最も大きく、病院の周囲の築年数の古い家
の多くが倒壊していた。また新築オープン
前の介護施設も取り付け道路や壁面に亀裂

図15　パラシキヴ《フェティリィティー》

が入り、アプローチのれんがが敷かれた歩道が歪んで盛り上がるなど、決して小さくない被害があった。それでも院長はこのプロジェクトを進めて、復興のモニュメントにしたいと言ってくださった。

　来日して、まずは宿泊先のアパートに案内する。そして制作場所の確認と素材となる石の選定を行った。硬い御影石ではなく比較的柔らかく彫りやすい砂岩が2つあったので勧めた。一つはベージュ、もう一つはれんが色の砂岩である。そして彼はれん

が色の砂岩を選んだ。

　来日して最初の週末に柏崎に連れて行き、院長や施設のスタッフと面会し、周囲の環境、作品の設置場所を見て確認してもらった。美しく雄大な日本海を臨む、何も遮る物のない風光明媚な場所である。高台から海に沈む夕日を眺められる庭園であり、彫刻のための環境として理想的といえる場所が用意されていた。

　制作された彫刻のタイトルは、《賢者の像》、頬杖をついて腰を下ろしている人物像である。人生の後半を迎えた人が自分の人生を振り返りながら、日本海に沈む夕日を眺め続けている。

　パラシキヴが新潟でのレジデンスを終えてフランスに帰った後、2009年にニースで再会した。このときに、ルーマニアとブルガリアの国境に近いドナウ河の下流域、ドブロジェアのダーヴェント修道院で2010年に開かれる、画家と彫刻家が集まる国際レジデンスに参加しないかと誘われ、不自由で過酷な制作環境である事は分かっていたが好奇心から参加することにし

図16 《賢者の像》を制作するパラシキヴ

図17 パラシキヴ《エヴァ》

た。

　制作中の休日にドナウ河を隔てたダーヴェントの対岸にあるカララシ市の、考古学者マリアン・ネアグ氏が館長を務めるカララシ美術博物館を訪れた。そこで観た古代ローマ時代あるいはそれ以前のダチアの時代の小彫刻の中に、膝を抱えて腰を下ろす人物像があった。やはり両手で頬杖をついている。

　カララシはパラシキヴの故郷、彼はこの小彫刻からヒントを得て長い間温めていたのであった。そこに私が柏崎の介護施設の彫刻プロジェクトの計画を彼に依頼した。温めていたプランがぴたりと当てはまったのである。

3．終わりに

　彫刻芸術になじみのない人であっても、日々変容していく木や石の形を見つめていると、どうやら興味が湧いてくるものらしい。前衛的な非具象彫刻に対して、芸術はよく分からないと言っていた人が、我が町にやって来た彫刻家と交流を持ち、制作プ

ロセスを観ている内に、作品が完成する頃
には、出来上がった作品を理解することを
超越したところで受け入れ、いつの間にか
一人前の評論家になっているのである。
　彫刻シンポジウムやアーティスト・イン・
レジデンスの社会に果たす役割や期待され
る事は、アーティストとの交流がもたらす
地域への芸術文化の浸透と普及によって、
洗練された豊かな社会をつくっていくこと
である。そのような地域には魅力が醸成さ
れ、訪れる人や住みたいと思う人が増えて
いき、経済的にも活性していく事を期待す
るものである。

図版出典
図1　http://ceacprojectspace.
　　　blogspot.jp
図2　http://www.tekupenga.com
図3　http://auckland-west.co.nz
図4　http://blog.tepapa.govt.nz
図6－11　http://giuliano-giussani-
　　　scultore9.webnode.it/
図12　http://artindex.ro

図13,14,16　http://sculpture.ro
図15　『うちのDEアート2007記録集』

逆さまに見る内野
カメラオブジェスクラ・プロジェクト

郷 晃

　2009と2011年の「うちのDEアート」において、ルネサンス時代から画家が遠近の正確な風景を描くために活用してきた原始的光学装置であるカメラオブスクラを用いたプロジェクトを行った。ルネサンス時代の画家は、部屋ほどの大きさの装置を造って中に入り、投影された映像をなぞって写し取っていたという。

　事の始まりは、美術系以外の学生の授業を行うときの題材の一つとして取り入れたことがきっかけである。ルネサンス以降の絵画制作を支え、遠近法や透視図法の理論の確立に貢献した装置だが、美術史の中で取り上げられることは少ない。私自身も大学時代に美術史の講義を受けたのであるが、この装置のことに言及した内容の記憶はなくよく知らなかった。

　たまたまカメラオブスクラについて調べていたときに、ある写真愛好家が、のぞき式カメラオブスクラの作り方を紹介した記述に出くわした。とても簡単だったのでこれなら授業に生かせると思い取り入れることにした。段ボールの箱、トレーシングペー

パー、ピンホールを開けたアルミ板もしくは虫眼鏡、ガムテープなどがあればできるのだ。これを制作して中をのぞいて、不思議な光学的現象を体感して美術と自然科学との関係性に興味を持ってもらい、絵画や美術史に慣れ親しんでもらうためである。

　またこれを小学校高学年の図画工作や中

図1　《逆さまに観る内野（犬、猫？）》2009年

図2　《逆さまに観る内野（潜水艦）》2009年

学校の美術の授業で取り入れたら、理科教育の光についての項目とリンクしながら美術史や鑑賞教育の授業に役立つのではと考えた。それで教員志望の学生には、学校の授業におけるこの題材の生かし方を考えてもらう課題を出している。私自身の中学校での光に関する授業の記憶では、先生が黒板に光の入射角や鏡の反射角などの図式を描いて解説していた事を覚えてはいるが、理論はなんとか理解できても驚きや感動の薄いものであった。

　簡易なのぞき式カメラオブスクラを学生に作らせ、外に出て観察をさせると、制作中は半信半疑であるが、のぞいたとたん皆一様に驚いて夢中でトレーシングペーパーのスクリーンに映し出された画像に見入っている。中学校時代にこの装置とリンクした理科と美術の授業があったら光についてもっと詳しい、いろいろな知識が身に付いていたと思う。実際に制作してのぞくと、虫眼鏡の製品レベルと、スクリーンであるトレーシングペーパーのざらついた肌合い、レンズとスクリーンとの距離の取り方、

いわばピントの精度がもう一つ正確ではない。そして日常的な風景が上下左右逆転した非日常的で印象派絵画風の風景が見える。現代のテクノロジーがもたらす鮮明な映像を見慣れている目にとっては、かえって興味深く見えてしまうようだ。

　内野町は、江戸時代の治水事業で新川と称する人工河川を造るために、周辺の地域から村ごとそっくり移住して町が形成された歴史を持つ。村の人たちは、それぞれの村の神社も一緒に持ってきているので、狭いエリアに神社、稲荷が合計7カ所存在している。昭和30年代の雰囲気を残す内野町をカメラオブスクラ越しにのぞいてみたら面白いかもしれないという単純な動機から制作を始めた。2009年では、《逆さまに見る内野》と題してピンホールタイプのカメラオブスクラの機能を持つオブジェ6体を制作して、内野町の三日月橋や「うちのDEアート」の学生プロジェクト会場に置いてもらい、訪問者にのぞいて見てもらった。

　2011年では、《カメラオブジェスクラ》

と題して、ピンホールタイプに比べて映像がより明るく鮮明に見える、レンズタイプのカメラオブスクラ機能を搭載したオブジェ４体を制作し、新川を渡る三日月橋の親柱４カ所に、それぞれ川の上流と下流方向を眺める角度に設置した。

　内野町の三日月橋周辺の風景は、なかなか趣のある風景である。上流には、川が分岐するところに静田神社がある。その赤い鳥居が三日月橋から確認でき、神社の周辺を含めて浮島のように見える。おそらくこの眺めは、江戸時代からあまり変わっていないと思われる。橋から下流側の眺めは、ＪＲ越後線の鉄橋が新川に架かり、時折電車が通り過ぎていくのが見える。川の岸辺には小舟がつながれていて、新潟にやってきたよそ者の視点から見て、なかなか風情のある風景である。

　地元の内野町の人々にとっては、日常的に見慣れた風景なのであまり興味関心がないかもしれない。しかし、三日月橋からカメラオブスクラを通してみると、浮島のような静田神社が逆さまになり、鉄橋を渡る

ＪＲ越後線の電車がモノレールのようにぶら下がって通り過ぎていくのが見えるの

図３−５　《カメラオブジェスクラ》2011年

で、改めて我が町を新鮮な目で見てもらえると考えた。ささやかであるが自分たちの住む町の良さを再認識してもらい、カメラオブスクラを通して見てもらう事を媒介として交流ができると考えた。

オブジェは道行く人々にのぞいてもらわないといけないので、面白おかしく親しみやすくするため動物の要素を形に取り入れた。「何だ」と興味を持ったオブジェにのぞき穴があれば、ついのぞいてくれるのではと考えたのである。

2011年は、2009年に制作した装置よりも画像が鮮明になって、レンズの焦点距離も長くなったために奥行きが必要となりオブジェのサイズも大きくなった。三日月橋の親柱のコンクリート製の直方体のボリュームには、ちょうどよい大きさとなりバランスが取れたと感じている。

2011年の開催年の春は、3.11東日本大震災の起きた年であった。その秋に開催される「うちのDEアート」も、災害からの復興というテーマを内包しており、学生たちもそれぞれの企画の中で、アートガチャポンなど楽しく寄付をしてもらえるアイデアを出していた。

これより前年、佐渡島から放たれたトキの一羽が飛来し新川上空を羽ばたき、しばらく内野に滞在していた。夕方には多くの人々がトキを見にやってきた。大きなダメージを被った東北地方や日本が元気になって、再び飛翔できるようそれぞれのオブジェには、翼を取り付けた。

日本美術院におけるアートプロジェクトへの取り組み

永吉　秀司

1．はじめに

　日本美術院は、全国に諸員1243名（2012年度）を有し、100年以上にわたり全国公募「院展」の企画運営を行い、公益法人として日本画家の育成や、巡回展を通して地域文化の振興に寄与すべく活動している公募団体である。近年、芸術表現の多様化、複雑化に伴い、我が国の歴史の中で育まれてきた表現を、後世に伝えてゆくにはどのような方法があるか模索していたが、学校教育の実践でも、「日本文化を尊重する態度」「コミュニケーション能力」などの目的に合わせて、さまざまな鑑賞教育に対する取り組みがなされていることから、本院としても学校教育や地域社会に貢献できることがあるのではないかと考え、2013年のモニター事業を経て、2014年度より教育プログラムの運営を始めることとなった。主な活動として、日本美術院が関与する展覧会の会期中のワークショップをはじめ、小学校や中学校、高校なども含めた各種学校での出前授業の企画、運営を中心に実践しているが、2013年に実施したモニター事業では、各教育委員会と連携して実践する教職員を対象とした研修会の実施や、株式会社キヤノンの「綴（つづり）プロジェクト」と連携したワークショップなどを実践してきた。

　この取り組みを今後どのように深化していく方法があるか考察する機会として、10余年の長きにわたり、「アートクロッシングにいがた」として地域を母体にアートによる地域振興を模索している「うちのDEアート」と連携し、アートプロジェクトの枠組みの中で、日本美術院の特性を活かしつつ、多面的な要素でプログラムを実践した。現在2015年と2016年にこのプログラムを実践しているが、今回は、2015年に開催した「NIHONGAタイムトラベル」を中心に実践報告として考察を深めることとする。

　具体的な内容としては、地域に純粋芸術をより身近に感じてもらうことに主眼を置き、なるべく一般的に有名な作品を地域に公開することが重要だと考え、キヤノン株式会社と京都文化協会の連携事業である綴プロジェクトが制作した高精細複製画をメインの展示作品として定めた。しかし、複

製作品のみでは日本画のもつ材質感や表現としての厚みへの理解が乏しくなると考え、その部分を補う展示作品として、日本美術院が所蔵する作品を同じ会場で展示することとした。

また、今回のような大学、行政、地域商工会と連携したアートプロジェクトの枠組みの中で実践する場合、学術的、興行的素養を盛り込むことでさらなる修学効果と集客効果が向上することが予想されるため、講演会、デモンストレーション、研究会、関連イベントなどを多数企画した。

作品についてもそのような主旨の中でさまざまな候補が想定されたが、綴プロジェクトから借用する作品は、北陸出身である長谷川等伯筆《松林図屏風》の複製品に決定し、その作品制作に関する講演会も開講した。また日本美術院から借入する作品に関しては、新潟出身作家の所蔵作品を中心に選択し、関連企画として実践する写生のデモンストレーションに関しては、新潟県出身の本院同人である大矢紀氏に依頼することとした。

その他、新津美術館や新潟大学美術教育研究会、新大裏千家茶道部とも連携し、純粋芸術の理解を深めるために、どのような実践があるかさまざまな見地からプログラムを実施した。本論はその具体的事例について明記したものである。

2．展示場所：清徳寺

清徳寺は、浄土真宗大谷派の寺院で、境内は1000坪を超える広大な敷地を持ち、新潟市内の地名で「寺尾」という地名があるが、その地名の由来ともされている。歴史的縁起としても、1630年代（寛永年代）頃よりの古刹であるが、1857（安政４）年の火災により古い記録類ははっきりしてお

図1　清徳寺外観

らず、現在の本堂は明治時代に建立された
ものである。今回展示会場として使用した
庫裡は、平成に建て直された建築物で、元々
あった庫裡の建具を活用する形で宮大工に
より建立された。そのため、中庭などはそ
のまま残されており、屏風などの展示会場
に最良の場所である。

○使用した部屋

　・庫裡大広間　62.5帖（次の間）

　・玄関正面の部屋　2間計25帖

　・境内横御簾の間　2間計16帖

　・回廊ニッチ部分

　・奥の間　2間続き計約22帖

○使用期間：9月26日（土）〜10月11日（日）

○期間中の作品の保守管理

　本企画は、元々「うちのDEアート」と
いう新潟大学の教育学部の学生が主体と
なって運営しているプロジェクトにサブ
イベントとして参加したため、新潟大学で
の学芸員資格予定者の実習の一環として定
め、会期中の作品に関する保守管理を行い、
統括の管理運営業務は、新潟大学の学芸員
資格取得職員が担うことにした。

　また、作品に関する不慮の事故、作品の
破損、損傷に関しては、寺院は一切の責任
は負わないこととし、そのための保険とし
て、日本美術院が算出した評価額から作品
と企画自体に保険をかけて作品の保全に努
めた。利用当初、光熱費、建物の使用料と
して拝観料100円を徴収し、庫裡の借用の
謝金として充当する予定であったが、地域
貢献の一環である事業ということで、住職
の厚意により、拝観無料で本企画を運営す
ることとなった。

2．実践内容

（1）キヤノン　綴プロジェクトで制作さ
　　　れた高精細複製品の展示

○場所：庫裡大広間　展示空間38.5帖

○期間：9月26日（土）〜10月11日（日）

○展示方法：毛氈　3×6寸2枚、
　　　　　　中判1枚（日本美術院より借用）、
　　　　　　調光式ライト（和ろうそく、結界
　　　　　　の代用品としてキヤノンより借用）

　本実践では、綴作品の長谷川等伯筆《松
林図屏風》（東京国立博物館蔵）を展示し

たが、美術館などの疑似展示とは違い、庭からの借景、格天井（ごうてんじょう）、障子など庫裡ならではの演出効果が得られ、良質な空間演出が可能となった。また、日照時間、照明の点灯、消灯などによっても演出効果が変わり、それを目当てとしたリピーターが存在した。何人かの観覧者と話をしたが、本来の見方で作品を鑑賞でき、しかも身近な環境でこのような機会を得られることに対し高評価を得ることができた。今後も継続してこのような活動をしていくことは、日本画リテラシーの見知から有効な手段と思われる。しかし、観覧者の中には、調光式ライトがまぶしいという意見もあった。照明器具に関しては、和紙のシェード、揺らぎ効果な

図2　展示した綴作品長谷川等伯筆《松林図屏風》

図3　展示作品から中庭を望む

ど、今後より良い鑑賞環境の演出においても、重要な位置を占めるため、開発を含めて検討を要すると思われる。

（2）日本美術院監修ワークショップ、講演の実施
a．特別講演①「古典への眼光」
○場所：庫裡大広間　38.5帖
○参加者数：78名
○講師：木村純子（キヤノン株式会社CSR
　　　　推進部長）、蒔田剛（キヤノン株
　　　　式会社技術開発センター所長）、
　　　　武田光一（新潟大学名誉教授）
○日時：10月3日（土）15：00〜17：00
　講演最初に、キヤノン株式会社CSR推進部長木村純子氏による、綴プロジェクトの

活動内容について説明があり、その上で蒔田剛氏による作品の技術的な説明、武田光一氏による美術史の観点からの解説という流れで講演を行った。どの講師も、一般鑑賞者を対象に講話構成を考えていたためか、聴講者が退屈することなく、終始講演内容に耳を傾けている姿勢をうかがうことができた。特に蒔田氏の講演は、本来理解しがたい画像解析や出力方法など、自身の趣味である天文写真の資料やその撮影時のエピソードなどを加え、身近な視点から高精細技術をひもといて解説しており、大変好評であった。本企画のオブザーバーでもある木村氏も初めて聴講したようで、内部の研修にも活用したいと話していた。今後、日本美術院とキヤノン株式会社の綴プロジェクトが連携してゆく中で、綴作品に関しての基礎知識は必要不可欠であると判断される。日本美術院内での研修としても、今回のような講話の機会を得ることは有効な手段であり、キヤノンの木村氏からは、そのための協力は可能であると内諾を得ている。それに本企画は、さまざまな視点か

図4　蒔田氏の講演の様子

図5　武田氏の講演の様子

図6　大矢氏のデモンストレーションの様子

ら日本画に対してアプローチすることも目的の一つであり、その一環として、新潟大学名誉教授の武田光一氏にも講話をいただいた。その中で史学的な見知からの見解と、表現者の視点では見解の相違があり、双方の見解を深める機会としても、このような企画は有効であると判断でき、今後の活動についてさまざまな可能性を模索していこうと思う。

b．特別講演②：「画家のまなざし－古今変わらぬ作品との対話－」
○場所：庫裡大広間　38.5帖
○参加者数：103名
○講師：大矢紀氏（新潟県出身、日本美術院同人）
○日時：10月4日（日）13：30〜16：00
　当初、大矢氏のデモンストレーションと講演会は、16時終了予定であったが、写生の絵の具が乾かない状況や、熱心な聴講者の質疑や大矢氏の計らいもあり、1時間延長する形で講演は終了した。
　キヤノン株式会社の協力により、解像度の高いプロジェクターを使用することができたため、ライブ映像の映写が可能となり、手元の動き、色など精細に再現することができた（図6）。
　描写したモチーフは、ぶどう1房、みょうが複数、ひもでまとめた唐辛子1房、計3つのモチーフを個別に描画し、3枚の写生の実演がなされた（図7）。
　鑑賞者も、このイベントを目当てに来場した人も多く、3時間という長い時間にもかかわらず、まるで参加者がその場で描写しているかのような臨場感があり、時間も忘れて大矢氏の筆の動きに集中している様子を見ることができた。また、写生を進めながら、展示してある作品の作家である

図7　準備したモチーフと描かれた写生

前田青邨や新井勝利、平山郁夫などとのエピソードを話してもらい、鑑賞者が、作家を身近に感じるような工夫が見られた。質疑応答の時間では、学生や熟練者など、鑑賞者が積極的に質問する姿勢が見られ、充実した内容の講演会であった。

c．作品解説会①「日本美術寺子屋」
○場所：庫裡大広間　38.5帖
○参加者数：54名
○講師：永吉秀司（新潟大学教育学部准教授、日本美術院院友）、玉木晴夫（玉木表具店、にいがた名工認定技師）
○日時：9月27日（日）13：00〜15：00
　地域連携という趣旨で、開催地区である内野商工会所属店舗である玉晴堂（玉木表具店）店主玉木晴夫氏を講師に迎え、作品解説会を実施した。
　内容の流れとしては、講演者の紹介をした後、日本画材について解説を行い、その後、日本美術院所蔵の展示作品と本寺院所蔵の襖絵を巡回しながら解説し、最後に綴作品《松林図屏風》を解説する流れで1部

は終了した。
　2部は、庫裡大広間にて綴作品《松林図》を基に屏風の歴史や具体的な「紙蝶番」の仕組み、新しい現代の屏風などを実例を基に解説してもらった。どちらの講演も質疑応答も含め、鑑賞者が非常に熱心に発言する様子がうかがえ、市民がこのような文化的知識を涵養（かんよう）する機会を望んでいることを

図8、9　筆者、玉木氏の講演の様子

理解した。また、地域の商工会所属の技術者を講師に迎えることで、質疑応答の際、展示作品の見方、価値観の視点が異なり、美術品や文化芸術に対して多面的に評価する機会となるため、地域のさまざまな活動と連携していくことは今後有効な手段と考えられる（図8、9）。

d．作品解説会②「日本美術寺子屋」
○場所：御簾の間　16帖
○参加者数：35名
　（持ち込み参加者20名：作品40点）
○講師：永吉秀司（新潟大学教育学部准教授、日本美術院院友）
○日時：10月10日（土）10：00～12：00
　地方地域などで自身の作家活動や、大学依頼による講師活動、作品解説などの業務をこなしていくにあたり、よく参加者から、「作品を制作するにあたり指導してもらえる機会がほしい」「実際の技法はどのように作られているのか」という問い合わせを多く耳にする。筆者としても随時口頭で説明をしてはいるが、明確さに欠けている現

状がある。このような事実を踏まえ、今回の企画を機に、持ち込み作品による作品解説会と、問い合わせでよく耳にする「モミ紙」の技法についての実演会を開催した。人数規模としては少数ではたあったが、新潟大学所属の学生17名と一般の参加者18名という内訳で、学生と一般の方の良い交流の機会となった。また、一人で複数の作品を持ち込む人も多く、講師の話に熱心に聞き入る様子をみることができた。

　2部の技法講座では、講師自身が、学生指導用に考案したモミ紙方法を実践し、紙のモミ方、絵の具の塗布の方法、紙の伸ばし方、裏打ち方法などその場で実践した。今回は試験的な企画のため、周知活動、広告での周知も最小限のものにとどめたが、カルチャーセンターで取り組んでいる方は多面的な指導を求める傾向があり、また独学で制作している人には、さまざまなトラブルに対しての対処法を求める傾向がある。作品鑑賞に対して不安のある人は、制作者、表現者と身近に質疑応答できる環境を求める傾向があるようだ。今後、より高

いレベルで、日本美術院のような全国規模の公募組織が、このような活動に取り組むことができれば、確実に日本画教育の涵養につながると考えられる。

(3) 日本美術院所蔵作品の特別公開
　　春の院展表紙絵、所蔵作品の展示
○期間：9月26日（土）〜10月11日（日）
○場所：庫裡大広間　24帖側、玄関正面
　　　　の部屋　25帖、御簾の間　16帖
　　　　回廊、奥の間　22帖
○参加者数：1132名

a．展示作品①　日本美術院所蔵作品
　安田靫彦《富士》、田渕俊夫《爛漫》、平山郁夫《葡萄唐草文浮彫》、松尾敏男《春暉》、新井勝利写生《鰍　蟷螂》《兎》《ユリカモメウミネコ》《かにとはや》、前田青邨《龍》、大矢紀《長寿椿花》、小林古径《写生　鶴》《素描》計12点

b．展示作品②　清徳寺所蔵品
　作者不詳「襖絵」大正年代制作、香木（沈香）1975年採掘　計2点

　企画発案当初は、床の間の展示ということで、軸装作品を想定していたが、作品の保全を第一に考え、日本美術院より借用する作品は、額装のもの、もしくは展示ケースに収納展示できる作品のみとした。そのため、床の間との調和に関して一定の不安はあったものの、額装が全て和装で設えてあることと、庫裡自体が現代建築の定義において純和風住宅の様相を呈しているため、額装の作品と調和し、非常に良い空間演出がなされた。

　また、今回新井氏の未額装の写生4枚を展示するにあたり、廃品のガラスケースをリユースした展示台を制作し、作品展示を行った（図10）。額装で展示してある場合より、紙の耳が見えることで写生画としての臨場感が増すため、良好な演出が可能となった。そのガラスケースは日本美術院に寄贈したので、今後このような活動の場合の展示備品として流用可能である。

　作品の保険に関しては、新潟大学の旭町学術資料展示館から企画展の折に加入して

いる保険会社を紹介してもらい、これまで
の資料館との関係の中で、保険加入が承認
された。この件では、さまざまな保険会社
を調べたが、美術品の保険に関して敬遠す
る保険会社も多く、運送会社に委託して契
約時に同時加入すれば可能であるが、割高
になるというジレンマが生じた。今後この
ような企画を全国的に展開する場合、どの
ような形で保険加入し作品の保全を保つか
検討の余地がある。

　来場者の声として「本来ならば、美術館
でしか見られない作品がここにあるため、
美術品を身近に感じることができた」、「美
術館に行くのは敷居が高く、足を運ぶには
二の足を踏むが、身近な環境で、しかも家
屋の中で落ち着いて作品に触れることがで
きるため、ありがたい」というような感謝
の言葉が聞かれた。中には、高齢者で足が
悪くなり、美術館まで行きたくても行けな
かったが、このような機会を設けてもらっ
て良質な美術品に接することができ、とて
も感謝しているという意見もあった。

　このような活動は、潜在的鑑賞者層を展

図10　リユースした展示台

覧会鑑賞に導くためにも有効な手段と考え
られる。そのためには、継続してこそ意味
があるため、今後も活動できるよう働き掛
けていきたい。今回の企画をモニター事業
として、全国的にどのような展開方法があ
るか今後さらなる模索が必要といえよう。

　また、今回の企画のため、住職とさまざ
まな話を進めていくうえで、住職が空手の
有段者であり審判員の資格も持っているこ
と、住職が収集してきた所蔵品、寺の縁起
に関わる品々があることが分かり、それら
も特別展示として展示した。

　このような展示を加えることで、その場
所や人の地域性を演出することができ、作
品鑑賞をより身近なものに演出できると考

えられる。今後もさまざまな場所で展開する場合、その地域性を鑑みた演出も必要な要素であると考えられる。

(4) 新潟大学美術教育研究会主催「鑑賞教育アラカルト：作品を楽しむ多様な視点」
○場所：庫裡大広間
○参加者数：62名（参加費：500円）
○講師：大森慎子（新潟市立新津美術館学芸員）、永吉秀司（新潟大学准教授、日本美術院院友）
○コメンテーター：田中咲子（新潟大学准教授）
○日時：10月3日（土）10：00〜12：00
　新潟大学美術教育研究会は、主に本学の教員と学生、現職の学校教員、美術館および博物館の学芸員、生涯学習施設職員で構成されている研究会で、例年定期的な研究会を実施している。
　今回はキヤノン株式会社、日本美術院の協力により、綴作品《松林図屏風》を展示するということで、その作品の活用方法、鑑賞方法を深める機会として本研究会を企画した。また、「うちのDEアート」期間ということで、一般の方に広く門戸を開き開催することとなった。
　具体的な進行としては、開会の挨拶の後、まず大森氏が在職の美術館で実際に取り入れている対話型鑑賞法を、解説を含めたロールプレーイング形式で実践し、その後、本院教育プログラム委員である永吉が、表現者の視点から、描き手としての私見を基に和紙の種類、使用した墨の種類、手法、構成バランスなどについて解説し、物の見方に対するさまざまな方法を展開し、鑑賞方法の多様性について見識を深める機会となった。その後のパネルディスカッションでは、参加者の作品の見方についての素朴な質問や、授業展開で生じる問題、材質研究の立場からの質問など、作品の見方に対して闊達な議論が展開され、一次元的な見方に陥りやすい作品鑑賞について広い見識を持つ機会となった。
　参加者は一般の方が多く、学生、現職教員の人数がやや少なかった。その点につい

て現職教員に聞いたところ、時期的に文化祭、運動部や文化部の大会などと重なる時期で、参加しにくい日程であったということである。また、学生参加に関しては、本来は教職員を目指す学生にとっては、大変勉強になる内容であるが、「うちのDEアート」のシフトなどがあり、参加できなかったということである。今後企画するにあたり、開催時期の設定をより精査する必要があると思われる。

また、今回は、長谷川等伯の《松林図》を展示したが、教科書や授業実践教材としてもよく扱われる《風神雷神図》などの作品を展示すると、実際の学校教育として活用しやすいので、さまざまな展開が予想されるという意見があった。また、《洛中洛外図屏風》のような細かい図像観察が可能な図版を教材として活用すれば、デジタル写真などを利用した新しい鑑賞教育も模索できるのではないかという意見もあった。

今後、授業実践との連携も踏まえて展開を模索していくことが必要と思われ、教材自身も単なる展示の形体ではなく、複製の

図11　大森氏による鑑賞ワークショップの様子

図12　筆者による作品解説

特性を生かし、より教材として深化した内容のものを検討していく必要がある。

（5）茶会「屏風絵のしらべ」
○場所：庫裡大広間
○参加者数：75名
　（茶会11名、呈茶36名、お菓子28名）
○参加費：500円　※お茶、菓子代として

○作法、協力：新大裏千家茶道部
　「NIHONGAタイムトラベル」というコンセプトより、一般寺院の庫裡、多様な展開を可能とする綴作品、良質な時間という言葉をキーワードに、《松林図屏風》を鑑賞するという趣旨の茶会を企画した。荘厳な雰囲気の中で催される茶事はまさに幽玄そのものであった。本来の作品は、博物館法などの規程によりこのような会は実現できないが、綴作品だからこその趣向であるといってよい。可能な範囲内で多面的な素養のある企画を今後も継続して企画し、箏の演奏会などを含め、他ジャンルとの連携の可能性を模索していきたい。しかし、このような飲食に関わる企画は、採算面で問題が生じることがある。

　通常、新潟の地域性では、大学の文化祭などでは250席用意しても足りない状況があるという。そのような状況を鑑みて、今回は150席分と少なめに用意したはずだが、実際には約半分の75席分にとどまった。いわば赤字である。このような背景として、この時期は季節が良いため、市内で

も各地でお茶会が催されているという。そのようなことから集客が分散したと判断される。今後も、このような趣向の企画は、芸術を身近に、そして格調高く演出していくのに効果的な企画ではあるが、それと合わせて採算がとれる方法を模索していく必要がある。

　また、茶会の企画の中で、思わぬ来客者もあった。中国総領事館の領事とその親族の訪問である。35名ほどの団体で、この「NIHONGAタイムトラベル」の企画のために、マイクロバスをチャーターしてくれたという。この予期せぬ来場者は、本企画を気に入った来場者が、中国総領事館に紹介したところ、ぜひ来場し作品鑑賞とお茶会に参加したいという主旨の連絡があり、来場する運びとなった。思わぬところで国際交流の機会を得たが、本来の日本の美というものは、現代の言葉でいえばトータルコーディネートにおける総合芸術であるため、それを具現化し継承することも、「美意識」としての国際交流の懸け橋となる可能性を含んでいると思われる。今後、海外

に向けて発信できるような良質な日本の美を展開できればと考える。

(6) 対話型鑑賞ワークショップ：児童を
　　対象とした対話型鑑賞「学びや」
○場所：清徳寺庫裡大広間　38.5帖
○参加者：36名（児童27名引率8名）

　「学びや」とは、新潟大学教育学部の学習社会ネットワークが主催する公民館の学習プログラムである。企画当初このような企画は設置していなかったが、「学びや」の引率指導をしている学生からの要望もあり、大学院生の授業実践の機会として、また綴作品の教材としての有効性を検証したいと思い、計画にはなかったが、このような鑑賞企画を会期中に実践した。

　本企画は本学の大学院生が、小学生30名ほどを対象に、「この絵の中で何が起こっているか」というキーワードを利用し、主にVTSといわれる理論を活用して対話型鑑賞を展開した。開始当初、VTSの手法は、《松林図》のような表現の絵画にはそぐわない鑑賞方法ではないかと考えられたが、実際

図13　茶会での作法の様子

図14　亭主からの作品解説の様子

始めてみると、「松の種類が、こちらは赤松で、あちらは黒松」、「この松は浜に生えている松だ」、「この絵の中に人がいる」などと、子どもの闊達な発言が飛び交い非常に興味深い鑑賞ワークショップとなった。

　このような意見を出せたのは、今回展示した作品のモチーフが松という新潟県民にとって身近な植物であるというのも理由の

ひとつであると思われるが、この作品自体が実物の作品と同じ大きさで、同じ解像度であるということが一番の理由であろう。

　通常、学校の授業の対話型鑑賞は、モニターに映し出した図像で判断する場合や教本の中の作品で鑑賞する場合が多い。しかしその方法では、印刷の精度、スクリーンの塵などにより図像を見誤る場合がある。その点、綴作品においては、30cmまで近づいても真贋が判断しにくい解像度のため、児童の図像解釈は本物を見た場合の鑑賞と差はないであろう。特に《松林図屏風》のような国宝作品では、実物に30cmまで近づいて鑑賞することはできない。従って、文化財、特に国宝級の作品の鑑賞教育を実践する場合、これほど有効な教材はないであろう。

　このような綴作品と連携して展示企画を実践する場合、事前に各学校所属の地域コーディネーターと連携し、授業実践の中に取り入れてもらえるよう働き掛けていくことで、より高い指導効果を得られることと推測できる。今後活動を展開する場合、

図15　対話型鑑賞の様子

近隣の教育機関と連携をより緊密にとりながら運営していく必要があるが、その場合、学校の年間行事予定を考慮し、綿密な授業準備と充分なスケジュールの確保が重要な要因となるといえよう。

4．入場者数に関する考察

　当初の予定では、「うちのDEアート」の参加人数が5000人前後の推移が見られるところからそのくらいの人数を見込んでいたが、この入場者数の計算方法が一般的な現代アートの人数計算の方法に準拠しており、受付でのカウンターの数と各企画会場に複数設置されたカウンターの数を合算して算出している数値ということで、今回

の「うちのDEアート」の受付のみの計算では2000名前後の数値であり、合算した場合は前年度比を同等の入場者数となる。この方法で、本企画も計算すると、企画と合算すれば1697名となり、各展示会場にカウンターを設置したと仮定すれば、4倍の6788名の入場者数となる。このような算出方法で計算するのもよいが、本企画では、1290名の実数と「うちのDEアート」受付入場者数の2000名（本年度推定）で、検証を進めていきたい。

企画当初、「うちのDEアート」入場者からの相乗効果を見込み、サブイベントとして企画した。一定の効果はあったものの、「うちのDEアート」の来場者がこちらの企画に参加するという流れよりも、「NIHONGAタイムトラベル」に参加した来場者が、「うちのDEアート」に帰りに寄っていくという傾向が見られた。これは、サブイベントとしての位置付けがどの程度までか、「うちのDEアート」とのコンセンサスが取れておらず、受付で配布するマップには、イベント情報として「NIHONGA

タイムトラベル」の情報は掲載されているものの、マップ自体には明記されていないという誤りもあった。

このことにより、マップを見ながら各企画を回る来場者の集客が弱く、マップと一緒に本企画の広告など配布したが、目覚ましい効果は見られなかった。それに、「うちのDEアート」の集客力の最大限の効果は、各企画を巡回するスタンプラリーにある。本企画はサブイベントのため、今回スタンプラリーへの参加は見送ったが、より高い集客力を求める場合、サブプログラムであってもそれへの参加は必要不可欠である。

他方、スタンプラリーを導入すると、それのみを目的とする集団が多く来場することになり、作品保全に対する不確定要素が高くなるという問題が生じる。今後、それらのことを含めて検討する余地がある。

また、本企画は広報活動においても、充分な効果をもたらすことはできなかった。「うちのDEアート」自体の広報活動は各メディアに一定の露出があったが、サブプロ

グラムという位置付けから企画の一部とみなされ、メディアに取り上げられる機会が少なかった。そのことは、事前のプレスリリースを戦略的に行わなかった企画者自身のミスでもある。しかし、そのような状況であっても、一定の集客を維持することができたのも事実である。

このことは予期しなかった事であるが、入場者に話を聞くと、この企画の来場者が友人知人などにこの企画の話をし、口コミで情報が広がり、新潟市内はもとより中国総領事館一行がマイクロバスをチャーターして来場する事例を含め、各地域から集客を見込む結果となった。この来場者数の推移こそ、この企画の評価の証しであると判断できる（図16）。

しかし、この結果は、住職の全面的な協力やさまざまな人の厚意に支えられた結果であり、今後は綿密な広告戦略と、地域の特性やイベントの趣向などに寄り添った柔軟な対応が必要であると考えられる。

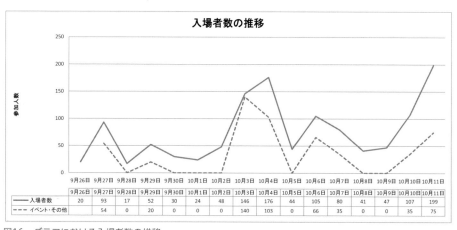

入場者数の推移

	9月26日	9月27日	9月28日	9月29日	9月30日	10月1日	10月2日	10月3日	10月4日	10月5日	10月6日	10月7日	10月8日	10月9日	10月10日	10月11日
入場者数	20	93	17	52	30	24	48	146	176	44	105	80	41	47	107	199
イベント・その他		54	0	20	0	0	0	140	103	0	66	35	0	0	35	75

図16　グラフにおける入場者数の推移
※イベント予定のない平日に集客があるのは、檀家の見学会、大学での授業活用などによる

5．まとめと考察

　本企画では、日常の生活圏の中では関わりが少ない、寺院の庫裡を全面的に使用し、住職の協力により、季節の花々や、調度品と合わせ、良質な空間演出が可能となった。また、日本美術院所蔵作品も、小品の場合一般邸宅に掛けられることが想定されて表現されていることが多く、作品の演出効果としても、美術館での鑑賞とは違う趣が得られ、作品のもつ風格を存分に再現することができた。鑑賞者もこの空間を楽しんでいる様子がうかがえ、口コミでこの企画の評判が広がり、入場者が増加する傾向が見られ、本企画の有効性を物語る結果となった。展示構成としても、キヤノンの綴作品と連携することで、古典作品と近現代へと続く日本画の表現を体現化することが可能となり、バランスの取れた内容の展示形態を構成することができたと思われる。しかし、複製作品がメインだったためか、日本美術院より借用した著名作家による所蔵作品もキヤノンが制作した複製品だと認識した来場者も存在し、その点に関しての周知

活動、差別化を図りながら調和させていくなどの必要性がある。

　このような企画は、周囲や協力者の理解なくしては成り立たない。床の間には季節の花が生けられ、展示作品に合わせた香炉が置かれるなど、空間演出を良好に保てたのは、清徳寺の協力がなくては維持できなかったことであろう。また、キヤノン株式会社CSR推進部や、デモンストレーションを快く引き受けてくださった大矢紀氏をはじめ、本企画の間に入り、尽力してくださった人たちによる、日本美術に対する熱意に支えられてこの企画は成り立ったと思われる。このような思いを育て、環境や人材を育成していくことこそ、日本美術院が今後100年の歴史を刻むための涵養となり得るであろう。

　企画内容の考察としては今回は日本美術院としても初の試みであったため、斬新な企画は避け、従来のワークショップを応用した企画、出前美術館、協賛団体の協力による特別企画の3分野を中心に実践を試みた。いずれの企画にしても、今回実践した

結果、全国規模の公募団体として取り組む場合のメリットとデメリットが一定の割合で存在することが明らかとなった。

　まず、展覧会場で実践してきたワークショップであるが、日本画周知のための導入として、本院の展覧会場でのワークショップもある程度有効であるが、会場に足を運ぶという行為がない限り、成立しない問題点がある。潜在的な鑑賞者、すなわち美術や絵画に興味はあるが、美術館や絵画展に来場するまでには至らない人々に目を向けた場合、裾野からの日本画教育という観点から考えると、現状はやや不充分に感じられる。その点、このような地域振興対策の一環としてのアートプロジェクトで実践する場合、参加対象自体が若年層のため、他のワークショップと同じように遊び感覚で材質に触れる機会を与えることができる。そのため、本来の目的である潜在的鑑賞者のための導入企画として有効性を担保することが可能である。

　しかし、手軽に楽しむためには、それなりのリスクもある。今回のアートプロジェクトでは参加者も日常の散歩の延長線上で作品を鑑賞し、制作体験などのワークショップも公園で遊ぶような感覚で参加しているため、その場で興味を持った時、すぐに取りかかれるような内容にしなくてはならない。つまり制作時間もあまり手が掛かるものは実践しにくく、15分前後で完了するものを用意しないとワークショップ自体に参加する鑑賞者を確保しづらい現状がある。このため、手間と時間を必要とするような日本画独自の技法を用いたワークショップを実践するのは困難であり、絵画を鑑賞する段階まで興味が持つかどうか疑問である。

　今後、本院としても複数のステップのワークショップが実践できるよう体系化したプログラムを構築し、多様な活動形態に柔軟に活かしていくことができるよう教材研究をより深めていく必要がある。

　また百聞は一見に如かずというが、作家がその場で制作活動を実演するというのは、年齢層に関係なく有効な手段であるようだ。作家としては日常の活動のため、そ

の行為自体に魅力を感じることはないが、鑑賞者としてはその行為自体が非日常であり、白い画用紙に徐々に図像が浮き上がっていく状況を見るという行為は、人と絵画を取り持つ接点になるようだ。この推察をもとに、今後どのようなデモンストレーションの方法があるのか、筆者としても研究を深めていきたい。

次に、出前美術館として実践した日本美術院所蔵作品展示であるが、本来、美術館でしか見られないような作品を地域で展示し、さまざまな鑑賞方法を模索する活動は多くの美術館、博物館において実践されている。その実践効果を踏まえ、本院でも今回実験的に取り組んでみたわけだが、一流の作家たちの作品が、身近な寺院の庫裡で公開されるというのは、ある一定の驚きと小作品が本来持つ調度品としての機能性を視覚的に演出する点に関して大変有効な手段だと考えられる。しかし、日本美術院の所蔵作品は作家や親族の寄贈によるものが多く、展示可能な形態で保存されている作品の数は少ない。そのため、鑑賞用のケー

スなど作品保護のための造作を考えねばならず、どのような環境でも気軽に実践できるというところまでは至っていない。今後、作品保全を考えながらどのようにこのような企画に対応していくかが検討課題だといえる。

最後に協賛団体の協力による企画、すなわち今回の企画では、キヤノン株式会社綴プロジェクト、新潟大学美術教育研究会との連携シンポジウム、新大裏千家茶道部と連携した「茶会」がそれに相当するが、どの企画にも共通していえることは、協賛団体の意向に左右されるため、継続性が担保できないという点がある。

今回の綴作品展示に関しては、東京国立博物館より新潟までの作品の搬入出、展示期間中の保険料、講演会のための交通費など全ての経費をキヤノン株式会社が負担している。今回は、キヤノン株式会社の文化事業における展開方法の模索と、日本美術院の地域連携教育プログラムによる展開方法の模索という利害が一致したため、全額先方の負担での運営が可能となった。しか

し、今後継続してこのような活動を展開する場合、その費用を捻出するに見合う費用対効果を明確にし、協力体制を構築していくか、外部資金などを利用し、金銭的負担はこちらで担保し運営を展開するかなど、活動資金の流れに重点を置いた展開を模索する必要がある。

また、今回試験的に行った茶会や研究会などの実践は、企画運営の母体を本院に設置するのではなく、このような取り組みの活動が市民権を得られれば、外部団体と対等の協力要請が可能となり、一定の規約を設置し企画運営の一部を委託する形式をとれば、今後もイベント企画として運営可能となるであろう。

これらを総合的に判断し、今回の企画では、さまざまな「きっかけ」を築くことはできたが、体系化してゆくには多くの問題点を抱えており、今後も継続して更なる考察と検討が必要であるということが明らかとなった。そのためには、このような教育普及活動に積極的に取り組むことのできる人材の育成方法についても併せて研究して

ゆく必要がある。

本来、日本美術院に所属する諸員は、日本画家として作品の資的向上のために研鑽を重ねている集団である。彼らは市場経済の中の絵画の販売数の減少や公募団体展、個展などの入場者層の高齢化など、肌で日本画教育の必要性を感じる機会は多いものの、教育活動の具体的方策や手段となると、スタンスの取り方は人それぞれである。実際、制作時間などにも影響を及ぼす活動であり、教育に対しての理解がなければ、受動的に活動に取り組む作家が大多数である。その状況は至極当然であり、活動に協力してもらえるだけでもありがたい現状である。

画家にとって最も重要なのは個人の表現の追求であり、その弊害となる活動は極力軽減したいというのが彼らの思考である。今回のような社会性を伴う活動に公募団体とはいえ強制的に参加させるような体制を形成すれば、地域教育プログラムはおろか、公募団体としての必要性も問われる事態となるであろう。

このような点からも、それぞれの立場の協力者に利のある運営体系を構築し、教材開発やプログラム指導に対しても参加者に利のある仕組みをマネージメントしていくことが大きな課題となるであろう。

　今後の活動展開を踏まえ、継続してさらなる研究を深めていきたい。

石膏像をめぐって
地域アートプロジェクトへの美術史的アプローチの試みと展開

田中　咲子

1．はじめに

「うちのDEアート」[1] とは何なのか、そもそも大学が地域と連携して行う地域アートプロジェクトとは何なのか。筆者は当プロジェクトで教員という立場にいながら、なかなかこの問いの答えを見つけ出せなかった。アートプロジェクトに対して、筆者が専門領域とする美術史の立場から何かできることはあるのか。過去の作品を扱うことを旨とする美術史研究と、地域アートプロジェクトに接点はあるのか。正直なところ、今でも確固たる答えを見出せた自信はない。それゆえ、本書第3部にこうして寄稿する身でありながら、何一つ専門家としての物言いができる立場にない。しかしながら、西洋の古い時代の美術を研究する堅物の美術史家が、地域アートプロジェクトにおいて美術史的アプローチを探るという事例は、そう多くはないのではないか[2]。一般的にみてあまり関連性がなさそうな二つの領域の接点を探り、それを発展させていった過程を論じることによって、「うちのDEアート」の意義がかえって浮彫りになるかもしれな

い。こうした楽観的ともいえる立場から、本稿では筆者のここ数年間の試みを振り返ることにする。美術史研究者という異端児から見た「うちのDEアート」である。

2．「うちのDEアート」との出合い

筆者が「うちのDEアート」に関わるようになったのは、2012年に新潟市西区板井地区で行った「いてえもん物語」からである。ただし筆者の新潟大学着任がこの年の6月だったため、このプロジェクトの計画はある程度進んでいた。それゆえ実質的に関与するようになったのは、2013年の通常の「うちのDEアート」からであった。すでに10年以上続く取り組みであったにもかかわらず、着任以前、筆者は「うちのDEアート」をほとんど知らなかった。筆者の専門は美術史であり、西洋古代を研究対象としている。前職は美術館学芸員であったが、現代作家の発掘と紹介といった、国内の多くの公立美術館が使命の一つとしているような仕事の経験がなかった。いわゆる泰西名画ばかりを扱ってきたわけでは

ないが、すでにどこかの美術館に所蔵され、芸術としての評価がある程度定まっている古今東西の作品から構成される展覧会を企画してきた。画廊や各地で行われる国際芸術祭に足を運ぶこともあったが、アートプロジェクトといわれるものには全く縁遠かった。それゆえ、学生を指導するという立場でプロジェクトに取り組むことになったとき、正直なところかなり戸惑った。2012年の「いてえもん物語」を通じて初めて本講座のプロジェクトに接したときには、学生代表がさまざまな苦労に直面しながらも地域住民と相談、交渉し、学生たちをよくまとめてイベントを完成させていったのを目の当たりにして、心底感心した。とはいえ、この年のプロジェクトを見たことで地域アートプロジェクトの本質を見抜くような洞察力は筆者にはなかった。

翌年の「うちのDEアート2013」の準備は年明けから始まった。2013年2月には、第一回住民会議が開かれた。その年は「私も何かやらなければ」という使命感、いやむしろ実際には根拠のないプレッシャーに駆られて、今振り返ると筆者自身も不思議であるが、学生とともに作品発表に絡むことを思いついた。しかし筆者の専門分野は美術史学である。歴史学の一分野として文学部で美術史を学び、実技について専門教育を全く受けたことがない素人である。絵画、彫刻、デザイン、工芸といった実技分野に対して、美術史学は全く性格を異にする。造形文化に焦点を当てた歴史学であり、造形文化を通じて行う哲学であり、とどのつまり造形を言葉にするのがこの学問である。ベクトルが正反対なのである。学生にどう働き掛け、どのような角度からプロジェクトに関与できるか、全く想像もつかなかった。確かに美術館学芸員という経歴もあるが、先述のように筆者の学芸員としての経験は偏っている。指導はおろか自分で作品を制作すること自体、全くの門外漢であり、内野の「うちのDEアート」を見たこともなければアートプロジェクト全般において素人である自分が、どうすればプロジェクトに関わることができるか、換言すれば、美術史の立場からどのようなア

プローチが可能であるか。「うちのDEアート2013」の準備が始動するとともに、筆者はこの問いに頭を抱え続けた。

　この難問への答えが見出せないまま着手したのが、《うちの・いえ・ギリシャ》（正確な表記では、「いえ」部分が家型の絵文字）として帰結した一作品である。このときの企画は、その後、大学の資料展示館の小展示として、口の悪い言い方をすれば、「再利用」されることになった。「うちのDEアート2013」とは異なる趣旨の下、展示を組み立てた。すなわち、石膏像に付随する模写や模倣といった側面に着目し、その意義を問うことを展示の軸に据えた。会期中には、この展示に関連したシンポジウムも開催した。さらにその年と翌年の大学の授業においても、模倣について考察する講義を半年間行った。

　これら一連の活動が、一つの展望に基づいてではなく、場当たり的に行われてきたことは否めない。しかしそれだからこそ、当初直面した問題にいかにして向き合うべきであったか、いかなる展開の可能性があ

るかを、この機会に振り返っておきたい。以下、「うちのDEアート2013」、大学の展示資料館での展示とシンポジウム、そして模倣をテーマとした講義の概要を紹介した上で、一連の活動を美術史教育の観点から考察したい。さらに、大学が教育の一環で行うアートプロジェクトの意義について、美術史学の観点から考えてみたい。

3．《うちの・いえ・ギリシャ》（「うちのDEアート2013」）

　この作品は、空き家となっていた築100余年の古民家を拝借して会場とし、そこにデッサン教材の石膏像を利用した立体作品を中心に、諸作品群を展示した複合的なインスタレーションである。家屋を古代ギリシャの神殿に見立てて建物の外観、内観をギリシャ風に装飾し、その一室に石膏像の「ラオコーン」に手を加えて制作した現代アート作品6点を展示した[3]。「ラオコーン」は言わずと知れたヴァチカン美術館所蔵の《ラオコーン群像》の一部で、父ラオコーンの上半身のみを石膏で復元した模像

である。日本では石膏デッサンの教材として広く普及しており、本講座もかなりの数を所有している。今回、6人の学生がおのおのラオコーン像1体を使って、それぞれの自由な解釈に基づいて加工し、新たな作品として提示した。さらに、縁側と庭を利用して、ラオコーンにまつわるギリシャ神話を寸劇にして上演、上演後はその衣装も室内に展示した。

　この作品展示を企画したきっかけは、筆者がデッサン用石膏像のよい活用法がないかと思案していたことにさかのぼる。本講座が所有する石膏像は、そもそもはデッサンの訓練用に作られたものであるが、これを美術史の教材としても利用したかった。しかし原作の代替として鑑賞したり観察するには、一部分のみを復元した像であることや細部の精度の点から不充分と思われた。そこで、まずは学生たちの原作への興味喚起を図るべく、石膏像を自由に加工して作品を作らないかと持ちかけた。美術館に勤務していたときに、古代ギリシャ・ローマ時代の大理石像が本来は彩色、塗装され

ていたことを伝えるために、彩色がすっかり剥落してしまった女神像の頭部に色を付ける子ども向け教材を作ったことがあった。その記憶がふと蘇ってきたからだった。本講座では、入学試験において受験者全員に実技科目が課されていたためもあり、作品制作を学ぶ目的で入学する学生が多い。それ故、作品制作を最終目標として据えれば、古代彫刻に興味を持ってもらえると考えたのである。

　この提案に当時学部2年生を中心とする13名が手を挙げてくれた。そこから共同制作の具体化に向けて繰り返しの協議が始まった。当初は各自が好きな石膏像を選んで作品化する案も話し合われたが、数回の協議を経て、使用する石膏像をラオコーンに限定することが決まった。それを受けて、ラオコーンにまつわるギリシャ神話（トロイ伝説）を紹介する必要性を誰かが唱えた。そこで、ラオコーン像の展示スペースの手前に導入的な空間を設置し、来場者の理解を促すという案が出た。その頃、ようやく会場が決まり、レイアウトを具体的に考え

られるようになった。

　拝借できることになった古民家は、我々のプランにうってつけだった。縁側に面した広間を石膏像を設置する主室とし、玄関と座敷をつなぐ和室を導入スペースとして利用することにした（図1）。ここにはイオニア式柱頭を頂く柱が四隅に据えられ、壁面には大蛇によるラオコーン父子絞殺の場面に至るまでの、トロイ伝説を描いたパネルが飾られた。ギリシャの神殿によく見られる、軒下に沿って外壁をぐるりと囲むフリーズ（帯状装飾）を意図して、絵巻のように横に細長い画面とし、物語中の象徴的な場面を古代ギリシャの陶器画を模したスタイルで描いた（図2）。これを担当した学生は、陶器画に関する書籍を数冊抱えて様式を研究し、自身の表現に結実させていった。頭部の厳格な側面観や様式化された衣文、作為的なポーズなどを特徴とする作品となり、結果的に、紀元前480年前後の赤像式技法の陶器画の雰囲気に仕上がった。導入スペースから主室へと誘う襖には、原作の《ラオコーン群像》をシルクスクリーンで刷ったのれんを掛け、それをくぐると石膏像作品が見える仕掛けとした。外観にも装飾を施した。ちょうど玄関口の上に破風があったので、パルテノン神殿の破風彫刻を参考にして、神々の像が並ぶ様子を描いた三角形のパネルを設置した（図3）。また玄関や縁側の軒下には、古民家の所有者の家紋をギリシャ風にアレンジした文様をあしらったのれんをつるし、神殿のメトープとトリグリフに見立てた。庭での寸劇上演は、衣装に興味のある学生が中心となって、ギリシャ風の衣装をデザインしてみたいと考えたことから話が発展した。寸劇の

図1　《うちの・いえ・ギリシャ》レイアウト
　　　作図：嘉藤稜子

図2　大場瞳美《パリスの審判からトロイ陥落を
　　　描いたフリーズ画》

主題はラオコーンにちなみ、トロイ戦争の
発端となった「パリスの審判」に決まった。
　展示案を考える初期段階において、ラオ
コーン群像に関して、筆者による美術史の
講義も行った。原作の主題、制作時期、様
式的な位置付け、ルネサンス期以降の受容
について論じるとともに、スライドや図版、
そして石膏像の造形を丹念に観察すること
を目的とした。この作品制作に集まった学
生が有志だったため、この講義も授業とは
別に行った。
　アイデアを具体化する段階で最も悩んだ
のは、作品コンセプトの定義とタイトル
だった。石膏像を用いて何かを作ることが

図3　《うちの・いえ・ギリシャ》外観（破風パネ
　　　ルとのれん）制作：佐野杏夏、大場瞳美

最大の目的だったため、作品全体のコンセ
プトを考えようにも、どれも後付けで陳腐
なものになってしまった。講座全体で行う
進捗報告会では、この展示を「うちのDE
アート」で行う意義も問われた。構想が内
野町と無関係であり、このプロジェクトで

作品を発表する必要性が感じられない、と
いうことだった。検討段階では、ラオコー
ンがトロイの神官であることにちなんで、
内野の各番町の神社に一体ずつ設置する案
も出ていたが、町に点在させるよりも群像
として展示したいとの意見の方が強く、こ
れは廃案となった。《ラオコーン群像》に関
する講義を行って以降、学生たちの関心が
ラオコーン父子の最期、とりわけ大蛇に集
中してしまうということもあった。興味の
対象が「うちのDEアート」の趣旨からます
ます逸れてきていたのである。それ故報告
会で受けた指摘と自分たちの関心事との間
で思い悩むことになってしまった。最終的
に、拝借した民家の特徴を活かして、トロ
イ伝説を中心としたギリシャ神話の世界を
内野町に出現させることで落ち着いた。

　コンセプトの設定では苦労をしたもの
の、ふたを開けてみると6点の石膏像作品
の中には、ラオコーン像を活かしつつ、内
野町から直接的に着想を得た作品も少なく
なかった。例えば、大田菜摘作《MATSURI》
（図4）は、内野の各番町で行われる夏祭

図4　大田菜摘《MATSURI》

りを題材に、石膏像に両腕を補って、山車
の上でうちわを振って担ぎ手を鼓舞する男
性を表現した。肩から腕の構造を理解した
上で腕を補っており、さらに法被を着せる
ことで祭りの雰囲気を創出するとともに肩
と腕の接合点を隠した。ラオコーンの苦悶
の表情を、歓喜に陶酔する表情と解釈し、
意味を転化したところも面白い。三條萌恵
の《喜びのラオコーン》（図5）もラオコー
ンの表情を陶酔として解釈したことから作
品化されたものである。巻きつく大蛇を線
路に替え、新駅舎の建設が決まったJR内
野駅へのオマージュとした。内野駅である
ことを示すべく、背後に内野の略地図を描
いた屏風を置いた。

図5　三條萌恵《喜びのラオコーン》

図6　高橋鮎奈《しばらくそっとしといて下さい。》

高橋鮎名の《しばらくそっとしといて下さい。》（図6）は、古民家にあったロッキングチェアを借りて、そこに石膏像を置いただけの作品である。といっても、傍らのテーブルに、空になったビールの缶やギリシャの酒ウゾの空き瓶、ビーフジャーキーの袋を置き、ラオコーンの頬に頬紅を塗って、酔い潰れた様子を表現した。これを室内ではなく縁側に設置することで、一昔前の内野によく見られたであろう光景を再現したという。彼女は最後まで作品のコンセプトに悩んでいたが、最終的には古民家にあったロッキングチェアから着想を得たようだった。アルコール度数の高いウゾを一

瓶飲み干して空にすること以外、特段手が掛からない作品ではあるが、会場となった古民家や内野町の雰囲気を捉えた点で、進捗報告会での指摘に応えている。

地域アートプロジェクトとしての本展示作品を振り返ると、内野という地元に寄り添いそこから得た着想を形にするといった姿勢よりは、こちらの意図を受け入れてもらう形態、悪くいえば押しつけ型の作品だった。しかし逆の見方をするならば、この程度の押しの強さがかえって面白さを生み出したともいえる。また、内野町の真ん

中に突如ギリシャ神殿風の空間が出現した
ために、違和感を抱く人も少なくなかった。
しかしこの「違和感」とは、よくいえば
アートが目指す「非日常」であり、今回の
場合、これを違和感ととるか非日常ととる
かは個々人の嗜好の差の範囲といってよい
だろう。ただし、造作の至らなさから異様
さを強調してしまったことは否めない。柱
が歪んでいたり、照明が中途半端であった
り、石膏像作品にも細部の作りが雑なもの
もあった。素材選びも必ずしも成功したも
のばかりではなかった。

　他方、予期しなかった成果としては、会
期中に会場留守番係となった学生たちが、
自分たちの作品への理解を深めてもらいた
いという願いから、自ずと来場者に対して
代わる代わるガイドをするようになったこ
とが挙げられる（図7）。声を掛けるのは
学生からであっても、話題は作品の解説や
トロイ伝説、ギリシャ神話にとどまらず、
家屋や庭のことなど多岐にわたり、学生も
来場者もよもやま話を楽しんだという。実
家や祖父母の家を思い出し、古い家屋の魅

図7　来場者に解説をする様子

力を再認識したと話す来場者もいたらし
い。こうしたコミュニケーションの創出は、
「うちのDEアート」が目指したものであり、
学生たちが本プロジェクトを通じてこその
学びを多々得られたことは間違いない。

4．旭町展示館「ギリシャ彫刻NEO」展への展開

　2015年2月から5月にかけて、筆者は
本学旭町学術資料展示館にて、小企画展
「ギリシャ彫刻NEO―石膏像・模写・復元」
とその関連シンポジウム「石膏像のこれか
ら―今日の美術における模写・模倣再考」
を企画した。展示には、「うちのDEアート
2013」で発表した作品の一部が再出品さ

れたが、展示の趣旨は大きく異なる。今回は、デッサン用石膏像の今日的意義を問うことが目的だった[4]。

展示は、石膏像、その原作について解説するパネル、石膏像を描いたデッサン、石膏像を利用した現代アート作品のほか、パルテノン神殿東面フリーズに浮き彫りで表された神々を三次元で表した立体復元模型（木本諒、加藤公太、東京藝術大学美術解剖学研究室制作）から成る。これらの作品群や資料により、石膏像の従来の用途であるデッサン教材としての側面と、新たな活用方法といえる現代アートの素材としての側面に着目するとともに、立体復元模型を通じて模倣、模写の意義を照射することを目指した。

石膏像を利用した現代アート作品の一部は、「うちのDEアート2013」で展示した作品やそのリメイクであったが、ラオコーン以外の石膏像を用いて新たに制作した作品も含まれた。その一つ、マルス像を用いた作品を発表した学生は、過去にこの石膏像のデッサンに取り組んだ経験があり、マ

ルス像に思い入れがあったという。「うちのDEアート2013」のときもそうであったが、大学受験のために石膏デッサンの訓練を経てきた学生にとっては、石膏像は大きく立ちはだかる壁の象徴であり、それを加工して作品を作る行為は恐れ多いことだったという。いわば神聖視していた。これはデッサン教材に加えて、石膏像に備わるもう一つの側面といえよう。

関連事業として企画したシンポジウムは、4人の論者がそれぞれ異なる視点から石膏像について論じるものであった。すなわち、原作について彫刻史の観点から論じたもの、石膏デッサンの歴史、画家の立場からみた石膏デッサンの有用性、パルテノン・フリーズの立体復元模型制作者による立体復元の意義に関する発表である。彫刻史に関する第一報告は、従来の石膏デッサンが、原作の様式に関してなかば無批判に行われてきたことへの疑問に端を発する。石膏デッサンの歴史に関する第二報告では、ヨーロッパで石膏デッサンが成立して以来のこれまでの変遷過程について論じ

られ、さらに、日本では、石膏デッサンが導入された明治期以降、独自の発展を経て今日に至っていることが指摘された。第三報告では、絵画教育における石膏デッサンという修練方法の有効性と問題点が整理され、第四報告では彫刻家の立場から、いにしえの彫刻作品の模倣、復元が現代アートの制作に活かされている実例が紹介された。石膏デッサンの歴史と現状を押さえることを出発点とし、新たな活用方法を探る手掛かりを得たいというのが、このシンポジウム開催の趣旨であった。

「うちのDEアート2013」のときには、石膏像の本来の用途を否定してみることが目的だった。そこから新たな活用方法が見つかるかもしれないという期待を持っていた。それに対して今回の展示とシンポジウムでは、石膏像の従来の用途、すなわちデッサン教材としての側面を多角的な観点から見つめ直す機会となった。同じく石膏像を中心に据えた活動であったが、筆者の石膏像に対する見方が変化したといえる。

5．授業への展開：「西洋美術にみるコピー」

シンポジウム開催を通じて、筆者の関心は美術における模倣へ向くようになった。デッサン用石膏像が模倣やコピーという概念を幾重にもまとっているからである。すなわち石膏像はまず、素描対象として写される。しかしそれ以前に、石膏像自体がコピーつまり複製である。石膏像にはそもそも原作が存在し、その模造品として作られたのがデッサン教材としての石膏像である。そして、その原作といわれる彫像の中には、ローマン・コピーが少なからず含まれている。ローマン・コピーとは、古代ローマ時代に盛んに作られた、古代ギリシャ彫刻の複製品のことである。ローマ時代、人々のギリシャ彫刻収集熱が嵩じて、その需要に応えるために大理石製の複製品が大量に作られていた。石膏像についてさらに付言するなら、出回っているデッサン用石膏像の大半は、原作からではなく石膏像から型取りしたものである。原作から何度も型取りするわけにはいかないため、精度の高い

石膏像から型を取って、それを基に新たな石膏像を製作する。つまり、原作から数えて何世代も経たものが今日目にするデッサン用石膏像なのである。

　石膏像に重層的に付随するさまざまな模倣形態への興味に端を発して、筆者は美術における模倣をテーマにした授業を行うことにした。西洋美術史の中にみられる模倣の諸相を提示し、学生とともに模倣の意義について再考してみたかったからである。もちろんその根底には、模倣の肯定的側面を、学生たちに実例を通じて再認識してもらいたい、模倣の正否の境界線について考察を巡らせてもらいたいという意図があった。

　2015年度前期の授業では、ローマン・コピーからビザンチン美術におけるイコン、ドイツ・ルネサンスの版画家メッケネムによる複製版画制作、ルネサンスからバロック時代の工房における作品制作システム、ルーベンスやレンブラントが行った模写、マネにみる古典作品の引用、そしてアンディ・ウォーホルやアド・ラインハートを取り上げ、また、石膏デッサンの歴史を

アカデミーの成立と展開に絡めて通観した[5]。学生の反応はというと、模倣が否定的に捉えられるようになったのがつい最近のことであると知って驚く者が、筆者の予想以上に多かった。

　前期の講義が終盤に差し掛かった頃、2020年東京オリンピックのエンブレム・デザインの盗用疑惑が世間を騒がせた。美術における模倣は、予期せず時宜を得たテーマとなった。翌2016年度前期にも同じテーマの授業を行った。このときも授業が折り返し地点を過ぎる頃、芸術作品の制作まで可能となった人工知能技術について、メディアで話題になっていた[6]。2年連続して、授業期間中にこの問題を現実問題として考察する好機に恵まれた。確かに、美術における模倣は時宜を得たテーマとなったといえばそうかもしれない。しかし、結果的に学生の関心が、模倣を悪とする今日の価値観が形成された要因の追究に集中してしまい、模倣の意義について多角的な議論をするに至らなかったことが心残りである。

6. 美術史の観点から見たアートプ
　　ロジェクトとその展開

　「うちのDEアート2013」においてデッサン用石膏像を用いた作品の展示を始めたときには、自身の関心が美術における模倣へ向かうとは思ってもみなかった。石膏像を用いた一連の活動の発端は、「筆者の専門分野である美術史は、作品制作とその発表を旨とするアート・プロジェクトには不向きであるが、いかにすればプロジェクトを通じて美術史に関する研究教育、いやせめて教育ができるだろうか」と考えたことだった。今から考えれば、アート・プロジェクトへの関与として必ずしも作品制作を前提とする必要はなかった。しかし内野に関連させることを考えると、西洋美術史を研究領域とする筆者にとって、正攻法の美術史をするにはハードルが高かった。逆に、正攻法に拘らない美術史的関与を考案するにはアート・プロジェクトというものをあまりに知らなかったし、内野について勉強不足でもあった。また、教員養成課程の学生にとっては、将来学校現場で実技から鑑

賞まで幅広く教えることのできる能力を養う必要があり、芸術環境創造課程においては大半の学生が実技の方により高い関心を示すという状況下、美術史に観点を絞った活動にどれだけ意味があるか自信が持てなかったのも事実である。美術史と作品制作を融合した形態のプロジェクトを目指すことにした背景には、こうした理由があった。本稿第3章で述べたように、結果的に、「うちのDEアート2013」で行った展示《うちの・いえ・ギリシャ》は、それなりに地域に即した作品に仕上がった。地域アート・プロジェクトとしての要件をある程度は備えたものになったといえよう。では、美術史教育としてはこの試みはどうであったか。

　それを考察する前に、筆者が考える美術史教育について定義しておきたい。学校教員の養成や美術全般について学ぶ課程において、美術の教育の一環としての美術史教育が目指すべきものは何であるか。筆者の独断ではあるが、それは美術の歴史の流れを暗記することでもないし、美術史学の方

法論（様式論や図像解釈など、美術史ならではの研究の観点）を身に付けて論文を書けるようになることでもない[7]。美術史教育の目的とは、美術作品の形態や成り立ち、目的、役割が多種多様であることを古今東西の美術を見渡すことによって認識し、それを通じて美術とは何であるか、美術は人間存在に対していかなる関係を持つものであるかについて、広い視野に立って考えられるようになることである、というのが筆者の考えである。

　以上の前提に従って、「うちのDEアート2013」における石膏像プロジェクトを振り返ると、残念ながらかなり失敗の部分が大きい。ラオコーン像だけでなく、より多くの彫刻作品を提示して学生に丁寧に観察させる機会を設けることもできただろう。たとえ部分像であっても、数種類の石膏像を観察することから得られるものも多かったはずである。また、原作の写真図版と石膏像を比較することも有効だろう。「うちのDEアート2013」への参加を思い立ってから展示までの期間が限られていたのは

事実であるが、もし半年間、授業においてこうした実践を行った上で作品制作に入ったならば、作品の幅や深みも増したことだろう。それこそ実技と歴史・理論の融合である。その一方、ひいき目に見るならば、それまで古代ギリシャの彫刻や陶器画に触れる機会がほとんどなかった学生たちにとって、部分的であれその造形に触れ、美術と神話との関係を知る機会となったことを考えれば、ある程度の成果があったといえよう。古代ギリシャ美術と神話との関係を、自分たちが作る作品と内野あるいは拝借した古民家との関係に置き換えて制作に当たったわけであるから、美術史的な学びもそれなりに経験したということになる。

　「うちのDEアート2013」から派生した形で開催した小展示とシンポジウムは、学生の教育の場というよりは、筆者すなわち教員の側が《うちの・いえ・ギリシャ》を反芻する機会であった。確かに展示の実施にあたっては、作品の出品や会場設営、チラシ作りなど、多くの場面で学生たちの力を借りた。しかし筆者主導であったため、

学生たちが主体的に学ぶ機会になったかといえば、その効果は「うちのDEアート」ほどではなかっただろう。筆者は《うちの・いえ・ギリシャ》を経験しながら、常に石膏像や石膏デッサンについて無理解であることを痛感していた。そこでプロジェクト終了後に遅ればせながら石膏像について学ぶ過程で、小展示とシンポジウムの構想が出来上がっていった。デッサン用石膏像を軸にして模写や模倣の意義を再考する、というコンセプトは美術史そして芸術学的な問いであり、内野という地域性や学生の教育の場から一歩離れたが故に思い至ったといえる。学生に主体的な活躍の場を与えるわけでもなく、学習者主体の美術史教育を画策するわけでもなく、ただひたすら《うちの・いえ・ギリシャ》で石膏像作品を展示したことを振り返り、学術的な意義を省察する機会がこの展示とシンポジウムだった。大学附属の展示館が展示会場となったことも、コンセプトの選定に影響を与えた。新潟大学旭町学術資料展示館という名称が示すとおり、大学で行われる研究教育成果

を供覧し、社会に還元するのがこの施設の目的である。それ故に筆者も、《うちの・いえ・ギリシャ》を研究教育活動として振り返るという視座を得るに至ったともいえる。展示館の事業としてこの展示とシンポジウムを実現する機会を得られたことはありがたいことだった。もともとは「うちのDEアート」のための一プロジェクトであった《うちの・いえ・ギリシャ》が、この機会のお蔭で、アート・プロジェクトから独立した意義を見出すことができた。

そしてここで得られた新たな問い「美術における模倣」を考察する機会として、筆者は大学の講義の場を活用することにした。残念であったのは、《うちの・いえ・ギリシャ》に直接的に携わった学生にこの講義を受講してもらえなかったことである。ほとんどの学生がすでに卒業してしまったり、あるいは4年生となり、すでに履修の必要がなく就職活動に励む状況だった。かろうじて2015年度の授業では、1年生のときに内野で《うちの・いえ・ギリシャ》を見た記憶のある学生が聴講者だっ

た。シンポジウムはこの授業の年の４月に行われたため、彼らはシンポジウムにも足を運んでくれていた。

　授業の中身は、先述のように、純粋に美術史や芸術学に根差したものであった。しかし受講生の大半が「うちのDEアート2013」の作例を知っているため、講義で設定した問いは抽象的ではあったが、これを身近な問題として捉えることができたと思われる。授業期間中に起きた、かの時事問題の影響もあり、模倣に対する負のイメージの形成理由に学生の関心が偏ってしまったことは否めないが、古代から現代まで二千数百年に及ぶ模倣の諸相を踏まえた上で、この事件を解釈しようという姿勢がみられたのもまた事実である。現代の問題がいかに過去の流れとつながっているか、現状を客観視するために、それまでの歩みを知ることがいかに大切かを学生が感じてくれたなら、美術史分野の教育の目標が達成されたといってよいだろう。

　この講義自体は、「うちのDEアート」や総体としてのアート・プロジェクトに直接関与するものではなかった。しかし授業のテーマの起源は「うちのDEアート」にある。地域アート・プロジェクトを行ったからこそ気付くことのできたテーマである。「うちのDEアート」は、本講座が研究教育の一環と位置付けて15年にわたり行われてきた。卒業生は皆、コミュニケーションやプロジェクト遂行の能力、実践力を養うことのできた貴重な場であったと口を揃える。筆者はここ数年の様子を見てきたに過ぎないが、学内だけでは得られない学びを可能にする場として、「うちのDEアート」が認識されてきたように感じられる。極言するなら、学内教育の限界を克服する手段という位置付けである。もちろんその通りだろう。しかしこうして振り返ってみると、「うちのDEアート」が大学内の研究教育を刺激し活性化していたことに気付かされる。美術史という、一見プロジェクトとは縁遠そうな分野であっても、このことは当てはまる。確かに、ここに報告した活動は方法論が洗練されておらずやや遠回りではあったが。本稿では、地域アート・プロジェ

クトをどう理解すべきか、これにどう向き合うべきか、という問いの答えを求めて、筆者のこれまでの活動を振り返ってみた。その結果、その直接的な解答というより、むしろ、プロジェクトと学内の研究教育の間の循環が見えてきた。「うちのDEアート」は、内野町という学外に拠点を置きつつ、大学内へのインパクトも持っていたのである。

　手探りの試みが、そこに内在する意味を見出し、さらに発展するには時間が必要である。腰を落ち着けて取り組むことがいかに大切であるかを身を持って経験した。

　本稿は大学の美術史教育の観点から「うちのDEアート」を振り返ることを目的としたため、また筆者の力不足もあり、地域の視点を加味して論じることはかなわなかった。また何より、「うちのDEアート」から大学附属の展示館での展示とシンポジウム、そして授業へと発展してきた現段階での成果を、まだ内野町に還元する機会を設けられていないことが反省として残る。これを次の課題とし、まずはささやかでは

あるが、拙稿を内野の皆さんと「うちのDEアート」に謝意として捧げたい。

1　「うちのDEアート」という名称は、厳密には内野町で隔年開催してきたアートプロジェクトの名称である。内野町のこのプロジェクトが開催されない年には、西区内の別の地区で別のプロジェクトが展開され、それぞれイベント名を持つ。しかしながら両者を総称する名称がないため、本稿では特に限定のない場合、両者を包括する総称として「うちのDEアート」と呼ぶことにする。

2　日本美術史を研究領域とされる筆者の前任者が、過去に内野町にあるいわゆるお宝を集めて「鑑定会」イベントを催したことがある。内野の住民の方々に大変好評だったと聞く。筆者にその大役を務めるだけの力量がないことが大きいが、本稿では学生を主体とした参加形態を想定して考察を進めたい。

3　この展示の計画から制作過程、そして展示概要については以下の報告がある。田中咲子　大場瞳美　嘉藤稜子「《うちの・いえ・ギリシャ》の活動記録」『新潟大学美術教育研究会紀要　コンコルディア』33 2014, 25-32.

4　展示とシンポジウムの詳細については以下を参照されたい。田中咲子編『石膏像のこれから―今日の美術における石膏像・模写・復元』新潟大学旭町学術資料

展示館 2016.

5　西洋美術史における模倣に関して、学術
雑誌にて特集が組まれたことがある。筆
者の授業でも、この特集をかなり参照さ
せていただいた。「特集オリジナリティ
と複製」『西洋美術研究』11、三元社
2004.

6　この時期、NHKで二つの報道番組が放
送された。「特報首都圏一オリジナルっ
て何だ」（2016年6月3日放送）；「ク
ローズアップ現代＋進化する人工知能つ
いに芸術まで!?」（2016年7月12日放
送）。

7　もちろん、美術史分野で卒業論文を書く
ならば、方法論の習得が必要である。

うちので何が起こったか
あるアートプロジェクトの顛末

1．「うちのDEアート」のうちとそと

　2016年は愛知トリエンナーレ、さいたまトリエンナーレ、KENPOKU ARTなど、いわゆる芸術祭と呼ばれるアートプロジェクトが、初開催を含め各地で展開され、一つのピークに達した年であった。言うまでもなくこの潮流を作ったのは2000年にスタートした大地の芸術祭越後妻有トリエンナーレの「成功」にある。ひとつにはそれが「アートという何の役にも立たないが手のかかる赤ん坊[1]」であるが故に、衰微した地域にそれ以外の方法ではもたらされない活力をもたらし、それ以外の力では見いだすことのできなかった埋もれた資源に光を当て、住民に誇りと希望を与え、ひいては彼の地への観光客の増加に伴う経済的活性化につながるという、行政にとって夢のような施策であったから、というと言い過ぎだろうか。

　現在、こうした行政主導のものを中心に、全国では100ともいわれる芸術祭が行われている。「うちのDEアート」はその初動においては自治体主催ではないが、越後妻有トリエンナーレの直接的な影響下にスタートした。新潟市の内野という決して大きくはないまちで生まれたこのアートプロジェクトでは何が起こっていたのか。今日、日本で行われている他のプロジェクトと比較し位置付けるということは現実的に不可能ではあるが、15年間という時間の中で通時的にみることで、渦中にあっては見えないことが明らかになってくるかもしれない。ある程度定点観測的に、かつ主催者でもなく、純粋な観客としてだけでもなく、うちとそとから見ることのできた者として、どちらの側からでもない報告者として、記しておこう。

2．「うちのDEアート」を特徴付けるもの

　「うちのDEアート[2]」は、新潟大学教育学部の芸術環境創造課程が主体となり、所属する教員、大学院生を含む学生が事務局機能を担い、大学の立地する内野駅を中心とする地域住民との協働により隔年で行われてきたプロジェクトである。

筆者は学内関係者でもなく、地域住民でもない。当初スタート時点では、近隣自治体の美術館（新津市美術館）の学芸員として、あるときは学生による企画発表会のオブザーバーとして、またあるときは招聘作家のコーディネーターとして、あるいは助成申請の推薦者として、全てではないとはいえ準備段階から部分的に関わる機会を得た一方、同時に多くの場合は一介の鑑賞者でもあるという流動的な立場にあった。中途半端な立場ではあるが、それぞれの背景については具体的な事例を取り上げるなかで必要に応じて触れることにしよう。

まず、「うちのDEアート」を特徴付ける性格の一つに「学生主体」ということが挙げられるだろう。

「うちのDEアート」と同様に大学が関わる芸術祭として、ほかにも先行する「取手アートプロジェクト（ＴＡＰ）³」や「千葉アートネットワーク・プロジェクト（Wi-CAN）⁴」、近年でも「みちのおくの芸術祭山形ビエンナーレ⁵」などがあり、それぞれ学生の関与の度合いもさまざまではある

が、「うちのDEアート」の場合、企画も裏方も学生が中心になっていることは他のプロジェクトと大きく異なっているところといえる。

学生たちは広報など事務局運営業務、招聘アーティストのコーディネートにとどまらず、自らも表現者、アーティストとしてプロジェクトに参画する。一つの作品を制作しかたちにするだけでも、まだ経験の浅い学生には一苦労だが、その傍ら会場確保に住民と渡り合い、作家をサポートし、会場管理や取材に応じているのである。

そればかりではない。住民有志が積極的に彼らを支えていることは言うまでもないが、運営のボランティアもほぼ学生が担っている。大学主催であるかないかを問わず、他の芸術祭の多くがボランティアを積極的に募集し、またそこに地域連携効果を期待しているのとは対照的に、学内の手で賄っていることは特筆すべきことである。

理由の一つに、本プロジェクトが意識的にせよ無意識にせよ「教育」を主眼としていることが挙げられよう。学生自身の企画

実現、作品の制作と発表はそのまま一種の課題であったし、第1回目（2001年）には西内野小学校のＰＴＡ行事の一環としてワークショップが行われ、第2回目（2003年）にはさらに「内野中DEアート[6]」として中学生の継続的な取り組みを大学生がプロデュースするというプログラムも行われている。続く2005年にも学生たちによる中学校での授業は継続して行われた。

こうした活動は、とりもなおさず学生自身の「学び」の場でもあった。2004年の芸術環境創造課程の出した報告書からはそれが見てとれる[7]。さらに、現職教員や新潟大学の教員が中心となって行っている新潟大学美術教育研究会大会もしばしば本プロジェクトの開催期間中に開催された。芸術環境創造課程の活動紹介として位置付けられていたことがうかがわれる。

「学生」と「教育」は、他のアートプロジェクトと比較するとき、本プロジェクトにおける決定的なキーワードとなっている。

3．美術館との関わり

千葉アートネットワーク・プロジェクトのように、美術館主導の強いかたちではないものの、部分的に美術館関係者が関わる場面があったことにも触れておきたい。

一つは、開催に先立ち、学生の企画審査が公開で行われた。この場には筆者を含め、県内公立美術館の学芸員、ギャラリスト、在住アーティストらが招かれ、計画中の個々のプロジェクトに対し質問や助言を行い、学生たちはそれをもとに会期に向けてのブラッシュアップを図っていった。

実際に会場に足を運ぶと、コメントした点について工夫したものもあれば、そこは譲れなかったのかと気付かされることもあった。会場の都合など外的な制約から大幅に変更を迫られたことについて、若いアーティストたちの制作の裏話、苦労話を聞くのは興味深かった。実際、会場に作者が張り付いている場合も少なくなく、期間中訪れた鑑賞者が望むならばいつでもそういう会話を楽しむことができた。できうるならば公開審査と同じように、制作後の

フィードバックの場があれば、さらによかったかもしれない。

第二に、むしろ例外的なケースではあったが、作家の招聘に関して、美術館が協力して実現した企画がある。「高田洋一 たたみdeアート」（2007年）がそれである。

高田洋一（1956〜）は、主に木や竹、紙を用いて、空気の力を利用した、風に揺れる軽やかな立体によって知られる美術家であり、首都圏を中心に活躍している。2006年に新潟市新津美術館にて個展「高田洋一 呼吸する翼」展を開催し、同展を見た新潟大学の教員からの要望で招聘につながったものである。

小中学校でのワークショップの経験も多く、プロジェクトの参加を喜んで引き受けた作家は、このプロジェクトの趣旨から、単に旧作を展示するだけではなく、内野のまちでしかできない住民とのコラボレーションを提案した。表具師、仏壇職人が地域に暮らすまちで、彼らのアイデアと技術を取り入れながら自作に装飾を施してもらうという案や、生活の中の美術というテーマで語りあうという案も出た。招聘作家担当の学生チームがついてくれたが、前述したようにおのおの自身の作品を抱える中で、作家の要求に応えることがなかなか難しかった。結局、樋木氏宅の大きな囲炉裏のある和室で、作家のトークショー形式で作品の特別鑑賞を行うこととなった[8]。

結果として作家との交渉、当日の運営に至るまで筆者が終始立ち会うこととなったが、進め方によっては、現場の学芸員が入ってのコーディネートについて学生たちが実践的に学ぶプログラムにもできたろうにと心残りではあった。招聘事業は招聘作家の発表の場であって、教育的なプログラムという位置付けではなかったがためにそのような発想も欠けていたように思われる。

こうした課題について、個人的な意見交換とは別に、プロジェクトとして適切な振り返りがその都度できていたかについては必ずしも徹底されていない。当日の会場整理については学生たちも快く協力してくれたが、招聘作家のプロジェクトとなるとどうしても「お手伝い」に終わってしまい、

作家任せの部分が目立った。「うちのDE
アート」は回数を重ねるにつれ、招聘作家
の比率が小さくなっていくが、招聘事業に
伴う教育的要素の意識が希薄だったこと
や、学生の（多忙による）相対的な関心の
低さも影響しているかもしれない。

　また、上記二つの事例において、美術館
も館として積極的な関わりを持ったとは言
い難く、大学と美術館の連携は将来的な課
題にとどまった。

4．地域との関わり

　「うちのDEアート」において最も重視さ
れたのが地域であったといえるだろう。プ
ロジェクトを行う以前は、大学と内野のま
ちの関係は物理的に線路が両者を隔てて
いることもあって、教員・学生の生活圏に含
まれているとはいえなかったと聞く。

　プロジェクトを始めるに当たり、学生た
ちは内野住民とのコミュニケーションを
深めるため積極的に内野に通った。町々
に残る祭りなどの行事に参加し、コミュニ
ティーに飛び込んでいった。

　期間中に使用される作品展示会場は、駅
や公会堂、神社や公園など公共的なスペー
スから、民家、空き家、空き店舗など多岐
にわたっている。協力的な住民からのオ
ファーもあれば、それらの情報収集、借用
交渉を経て実現に至る場合もあった。実際、
大学の教員が行っても難航していたところ
を、学生が依頼しに行って許可されたケー
スもあったようだ。住民たちにも、町に溶
け込もうとする、孫ほどの年齢の若者たち
の頼みならば、という気運が生まれ始めて
いた。

　学生たちにとっては大学から一番近い町
であったかもしれないが、内野のまちこそ、
このプロジェクトの最大の素材であった。
江戸時代後期に、この地域を横切る西川の
下をくぐらせるかたちで人工放水路である
新川が掘削されるが、当時この一大難工事
に際し、掘割人足はもちろん見物人も数多
く集まり内野はにわかに栄えることにな
る。風呂場や宿屋をはじめ下駄屋、髪結い、
茶屋、酒屋などが立ち並んだとは「内野金
坂掘割くどき」にも謳われている[9]。集まっ

てきた人々の暮らしを支える機能が集中して備わり、1912（大正元）年には内野駅も開設される。1915（大正4）年、1960（昭和35）年と、二度の大火を経験し、都市化の進行で空き店舗も目立ちつつあるものの、昔ながらの商店、職人の町の顔は今も残る。一番町から七番町までの地区ごとの団結も強く、プロジェクトに当たっても番町ごとのライバル意識は、良い意味での張り合いにつながっていた。政令指定都市となり区制が敷かれてから2007年、2009年のプロジェクトでは、寺尾中央公園もサブ会場に加えられたが、内野の町は名実ともにこのプロジェクトの核であり続けた。

　地域の歴史を読み込んだ作品として特に印象的であったものとして、新発田市在住の招聘アーティスト吉原悠博による作品《新川史眼》（2007年）が挙げられる。現代の川の姿とともに時間の流れを想起させる映像は、その川の中州に位置する静田神社に本尊のごとく鎮座するように展示された。新川工事に従事した無数の人々に捧

げたという映像は、この川で溺れた子どもたちの魂を祀る神社という場にもふさわしいものとなった。2009年には同じ場所で《水稲史眼　新川プロジェクト》に発展し、2012年新潟県立近代美術館で行われた個展「水の記憶：吉原悠博映像プロジェクト[10]」でも《新川史眼》が展示されている。

　しかし傾向として目立っていくのは、「主題」としての地域（内野という場）というより、「様態」としての地域であった。

　会場に空き店舗を使用するということとも関連するが、商店街の中に文字通り溶け込むようなかたちでの企画発表が回を追うにつれ増加する。

　例えば2009年の《うちのえほんや》は、商店の並ぶ通りに面した民家を使ったものだが、昔ながらの駄菓子屋を思わせるしつらいに、学生たちの制作した絵本が並び、店内で自由に読めるというものだった。奥の小上がりでゆったり過ごすこともできる。絵本の内容は住民たちから町の歴史を聞き取ったものをベースにしており、この小さな店から地域の歴史を紡ぎ出す、物語

と現実が重なり合う結節点のような作品となっていた。

　2011年の竹田直樹による《森の宝石プロジェクト》も、さながらジュエリーショップのような形式で実際に作品を販売するというものであった。同年学生によって運営された「Garage Café」はカフェとして営業し、同じ場所で2015年にも「niwa café〜ふらっと〜」として好評を得ていた。2007年からプロジェクトの会場の一つとなっていた塩川酒造では試飲コーナーなどの併設から、同プロジェクト限定のお酒「蔵酒（クラッシュ）」が2013年に誕生、2015年にも学生たちが酒瓶のパッケージデザインを手掛けるなど、交流が続いている。いわゆる「関係性のアート」へのシフトもそこには見ることができるかもしれない。

　地域住民が支持したことで継続したプロジェクトも少なくない。家々の家紋を染めだしたのれんを各戸に配布して行った《暖簾路（のれんみち）》は2003年、2005年に行われた企画であったが、2007年以降も地区の方が会期ごとに軒先に掲げた。2014年に「う

ちの暖簾会」が発足し、新しいのれんのオーダーを募りながら地区の発信にも努めている[11]。新川にLEDの明かりを灯す《シンカワホタル》（2009年）も、形を変えながら「うちのDEアート」が行われない年にまで、年に一度の風物詩のように地域の人の強力な支援とともに定着し、いまや「うちのDEアート」の生んだ代表作の一つともいえるだろう。

　地域との関わりにおいて一つの集大成ともいえるのが2015年の《うちの七人の職人と新大美術科のたまごたち》である。内野に昔から商売を続ける仏具店、表具店、広告店、石材店などの職人たちが自らの技を披露、そこに学生が参加するという、これまでの学生と住民のあり方とは逆転するような企画となった。筆者はかつて高田洋一が願ったことを思い出さずにはいられなかった。それが実現するにはこれだけの時間を要した。同時にそれは学生たちのたゆみない地域への働き掛けの賜物（たまもの）にほかならない。

5.「地域アート」を超えて

　最初に述べたとおり、全国に無数に存在するアートプロジェクトの特徴を正しく語るのはなかなかに難しい。実際問題として、それぞれのプロジェクトの全ての展示、イベントに至るまで100％を見て回ることは不可能に近い。それは鑑賞者サイドばかりでなく、主催者にとっても同様であろう。結果、一部の主要な展示・イベントやアーティスト、芸術祭の掲げるコンセプトによって評価することになりがちである。いきおい総体として他のプロジェクト（それも上述のように全貌を見渡したものではない）との比較においてしか、一つのプロジェクトに関する批評が成り立たない状況に陥っているようにも思われる。

　拙稿も同じ誤りを免れることはできない。いくつかの断片を寄せ集めてみたところで、実像とは異なった何かに読者を導いてしまっているかもしれない。けれど、全体像に到達しないからといって批評を避けていては、藤田直哉のいうところの「地域アート[12]」は永遠に当事者の小さなユートピアの中に閉じ込められてしまうだろう。個々のプロジェクトやそのプロセスに触れない限り、アートプロジェクトの本質は「まちおこし」の美談のうちに吸収され尽くしてしまう。

　ここで今一度思い起こしておこう。他の行政主導型のアートプロジェクト、藤田の定義を借りれば地域の名を冠した「地域アート」と違い、「うちのDEアート」は、内野住民と向かい合う「コミュニケーション」の場ではあっても、決して地域活性化という問題解決を目指したものではなかったはずだ。

　土の人、風の人、という言葉がある[13]。「うちのDEアート」において、内野の町の生活者たる地域住民はまさにこのプロジェクトの肥沃な土壌となった「土の人」である。先輩から後輩へと受け継がれながらも、新陳代謝を繰り返しその都度新しい発想をもたらしたのは「風の人」である学生たち、招聘アーティストたちである。そして内野は毎回プロジェクトが行われるたびに、スタンプラリーを楽しむ来訪者たちで

にぎわった。彼らは土の人・風の人を潤す「水の人」であっただろう。かつてプロジェクトに関わった卒業生たちも、時には退官した教授陣さえも、繰り返し流れるようにやって来る「水の人」であり続けた。この「風」と「水」が、吹き続け流れ続けたことにこそ意味がある。

　この15年間、内野の「風土」はこうして少しずつ、しかし確かに変容を遂げてきた。内野駅前にも若者の感性から生まれた店舗も現れた。アートとは異なるかたちで、また新しい風が町に通い始めている。一方、「うちのDEアート」をリードしてきた卒業生たちは、県の内外で、ある者はアーティストとして活動を続け、あるいは美術教員、あるいはアート系の施設や事業社で、今もこのフィールドで活躍している。理解ある地域住民は各プロジェクトを支え、毎回の開催を心待ちにしている。

　「うちのDEアート」というプロジェクトを評価するとは、個々の作品論に始まり、時系列の展開を追い、さらにこのように時間をおいて生まれる波及効果まで目を配る

ことではないだろうか。そして、こうして振り返ったとき、このプロジェクトはひとつの達成を見たのではないか。まちづくりとしてはようやく下地ができたところと人は言うかもしれない。しかし年中行事としてではなく、自ら以外に目的を持たない芸術としての性格を維持しようというのならば、一枚の絵画を描き上げ、筆を置くときを迎えたのではないか。

　2017年、この春から、これまで「うちのDEアート」の中核を担ってきた新潟大学の芸術環境創造課程と大学院教育学研究科の募集が停止される。国による大学改革、いわゆるゼロ免課程廃止の一環としてである。この15年間の学生、教員、地域住民が一体となった協働の姿、学びのありようを思うとき、皮肉にも教育とはなんだったのかという思いを禁じ得ない。宿命的な巡り合わせに思いを馳せながら、これまで内野というまちに生まれ、その都度見知らぬまちの姿を浮き彫りにしてみせた数々のプロジェクトに、心からの感謝を捧げたい。

1　同芸術祭ディレクターである北川フラム談。北川フラム『ひらく美術―地域と人間のつながりを取り戻す』p.111（ちくま書房、2015年）にも同様の「赤ちゃん」の比喩がある。

2　本プロジェクトの名称は、新潟市の合併、政令指定都市化に伴って開催年度により変遷を遂げている。本稿では特に支障のない場合、本プロジェクト全体を総称するものとして「うちのDEアート」の名称で記す。

3　取手市、市民、東京芸術大学が1999年より実施。

4　アートプロジェクト検見川送信所（2000年、2001年、2002年開催）を引き継ぎ2003年度にスタートしたプロジェクト。千葉大学芸術学研究室を中心に千葉市美術館、佐倉市立美術館、川村記念美術館、千葉県立美術館や地域の福祉施設、まちづくり系ＮＰＯが参加。参考資料に『千葉アートネットワーク・プロジェクト2004ドキュメント』千葉アートネットワーク・プロジェクト実行委員会 2005.

5　東北芸術工科大学の主催により2014年より開催。

6　佐藤哲夫「『内野中DEアート』の概要と大学生の意識変容および教育効果」、『教育研究改革・改善プロジェクト事業実施報告書2003新潟大学アートプロジェクト〈うちのDEアート〉』新潟大学教育人間科学部芸術環境講座・造形表現2004.

7　前掲書。

8　『西区DEアート2007記録集』西区DEアート実行委員会 2008, 36.

9　太田和弘「新潟市西区に関する潟と人の共存（里潟）について～潟の歴史的関わりについて（佐潟を中心として）」https://www.city.niigata.lg.jp/shisei/kataken/kataken_kankoubutsu.files/kazuhiro_oota.pdf　アクセス 2017. 2. 1

10　「水の記憶：吉原悠博映像プロジェクト」2012年８月14日～９月２日 新潟県立近代美術館。

11　Facebookページ「うちの暖簾会」参照。

12　藤田直哉編著『地域アート　美学／制度／日本』堀之内出版 2016.

13　出典は明らかではないがアートプロジェクトを支える要素として近年しばしばこの比喩が用いられる。「風土」の言葉から、「種」たるプロジェクトを育む「風」の人、「土」の人という語が出たもの。熊倉純子によるとこれに加えて、そこにせっせと水をやり成長を促す「水の人」の存在を提唱したのがアーティストの藤浩志であるとする。藤の図式によればメディアに取り上げるなど文字通り光を当てる役割の「光の人」が加わる。熊倉純子「アートなプロジェクトたちの妄想力」苅谷剛彦編著『「地元」の文化力―地域の未来のつくりかた』河出書房新社 2014, 143.　藤浩志 AAFネットワーク『地域を変えるソフトパワー　アートプロジェクトがつなぐ人の知恵、まちの経験』青幻舎 2012, 130.

あとがき
うちのDEアートから何がうまれたのか

新潟大学　教育学部　丹治　嘉彦

　新潟大学教育学部芸術環境講座（美術）では新潟市西区内において、うちのDEアートをはじめさまざまなアートプロジェクトを実践してきましたが、それ自体一定の役割を果たしたと判断し、2015年にその幕を閉じました。プロジェクトにおける取り組みの中身は、さまざまな分野のアーティストをはじめ教員や学生が、地域の方々と交わりながら多様な表現を披露したり、各教育機関と連携しての多彩なワークショップの実践が主なものでした。

　プロジェクトが始まった当初は、大学内で制作した作品などを鑑賞してもらうことや、関係者のみを対象としたプログラムを中心に取り組んだのですが、それだけではなぜ地域に赴いて表現などを行うのかの解を得る事ができませんでした。もちろん作品を披露したりワークショップを実践する以上、それらを知ってもらうための広報宣伝活動はしっかりと行いましたが、地域からは賛同の声が上がる事はまったくない上に、作品に対して理解が得られなかったことは大きな誤算でした。具体的には制作さ

れた作品を町の至る所に設置し鑑賞してもらう形態をとったわけですが、設置された作品を鑑賞する一方的な「見る」、「見られる」という形式がその原因であったと考えられます。すなわち表現が単なる絵画や彫刻といった固定化された作品、いわゆる「もの」が地域に設置されているだけでは人々の意識下に届くことが困難であったと思われるのです。

　「もの」としての表現を鑑賞する場として認識されるのは、一般的に美術館などが挙げられます。そこでは「もの」としての作品が法令に従いながらきちんと保護され、また学芸員などの専門のスタッフが作品解説などを行ってくれることでその理解へとつながることから、芸術作品を鑑賞する人にとって美術館はもっとも有意義な空間といえます。

　しかしながら、「うちのDEアート」をはじめ新潟市西区内で実践されたアートプロジェクトにおいて浮上した表現は、作品を鑑賞することを主な目的とした美術館のそれとは正反対のところに位置しています。

アートプロジェクトを実践する場はそもそも生活を営む場であり、作品などが自立するにはあまりにも過酷な環境といえるでしょう。

この事実を踏まえないで作品などが展開するなら、日常の喧噪（けんそう）に飲み込まれてしまい、それ自体の強度が弱まります。事実いくつかの表現やプログラムがそれに対応できず、日常の風景に作品が飲み込まれてしまったものも存在しました。もちろんそれに対しては制作する側の技量不足が挙げられますが、それだけではなく、地域において誰に向かって表現されたのかが、全く見えていなかったことも一因でしょう。地域の生活空間において表現を展開するのであれば、当然ながら地域の人々の理解を得るとともに、地域の歴史や営みを読み込んで表現に至ることが何よりも優先されます。言い換えるなら地域の営みを体験し、そこに潜んでいる「たからもの」と出合い、そこからイメージを紡ぎ出すことが地域でプロジェクトを行う上で何よりも重要であると考えたのです。例えば「うちのDEアート」の実践では、内野祭りや運動会への参加、また黒埼地区で行った「いてぇもん物語」では盆踊りへの参加などがこれに当てはまります。これら諸行事を実際に地元で体験したことが、参加した学生を含めアーティストたちの地域理解につながるとともに、表現に至るさまざまなヒントを獲得しました。

例えば、「西区DEアート2009」において実践された《いつか》は、新潟市西区内野町の方々から収集した約1000枚の写真を空きテナントに展示したインスタレーション作品でした。制作者の学生はそれぞれの町内で行われる行事に積極的に参加して、町の人のリアルな声を聞くに及び、そこからかつて内野町に存在した舞台や映画を鑑賞する場所として機能していた「笠井座」に行き着きました。娯楽施設が今のようにありふれていなかった昭和30年代、この「笠井座」は地域にとって唯一の癒やしの場であり、ここで上映された映画などを地域の人たちは心行くまで楽しんだとのことでした。学生たちはこの「笠井座」を

今によみがえらせることをイメージしたので
でした。具体的には、地域の方々が有して
いる当時の写真を収集し、それらを用いて
室内を設え、「笠井座」を地域の人たちと
ともに作り上げることを目指したのです。
作品が完成すると、会場に足を運んだ人た
ちから当時を懐かしむ声が多数上がり、そ
こからおじいちゃん、おばあちゃんたちの
自慢話を通して地域の人たちとの積極的な
交流が生まれました。この作品は学生が企
画し、その後地域の方々も作品の制作や写
真収集などに積極的に関わり、地域の人々
と協働で作り上げたことが特筆されます。

　また、2012年に新潟市西区黒埼地区で
行った「いてぇもん物語」は、廃校となっ
た旧板井小学校をその舞台として行ったプ
ロジェクトでした。この校舎は翌年に取り
壊し予定でしたが、地域に慣れ親しまれた
場でもあったことから、地域の方々から
思い出を残してほしいとの要望を受け、プ
ロジェクトを行いました。小学校に子ども
たちの声が聞こえていた当時、この板井地
区には新潟交通が運営する鉄道、いわゆる

かぼちゃ電車と呼ばれた車両が走ってい
ました。また、茶豆の産地として名をは
せているところでもあります。プロジェ
クトでは、校庭に駅に見立てた屋台を作
り、この地区で盛んだった盆踊りを再現し
たり、当時小学校に勤務していた先生や子
どもたちを交えての多彩なワークショッ
プが行われました。いずれも単独で行っ
た表現ではなく、地域の人たちとともに
作品を作り上げたことが特徴であり、いわ
ゆる協働という形式をとりながら作り上げ
たものとなりました。この協働というスタ
イルは、表現を通して関わった人の主体性
を呼び起こしました。表現活動に加わった
人たちの得意分野を積極的に活用し、知恵
を出し合いながら創造的なものを共に生み
出すことになりました。

　2000年以降、「大地の芸術祭」、「瀬戸
内国際芸術祭」、「よこはまトリエンナーレ」
などさまざまなアートプロジェクトが全国
各地で展開され始めました。これらのプロ
ジェクトにおいては、参加アーティストが
先導役となって市民と関わりをもった表現

が多々生まれています。その規模や予算が大きいが故に、成功例としてアートシーンに残ることは間違いないでしょう。しかしながら、「うちのDEアート」などでの実践においては、強烈なリーダーシップをもった先導役もいなければ、潤沢な予算に裏打ちされたわけでもなく、時には予定通りに進まず、頓挫しかけたり、計画変更を余儀なくされた事もありました。しかし、手づくりで臨んだプロジェクトだからこそ、お年寄りや子どもたち、そして実社会の多様な人々を包み込み、新たな居場所を提供することにつながりました。そしてこの居場所こそが、参加した人や関わった人の最適な場となり、表現を通してこの居場所を作り上げることこそがアートとしての役割、そしてアートプロジェクトの使命ともいえるのです。

　新潟大学教育学部芸術環境講座（美術）では、2001年以来「うちのDEアート」を行ってきたわけですが、15年という年月は充分過ぎる時間であったと思います。この間、アートプロジェクトを通じてさまざまな出会いや議論の場を生み出すことができました。そしてその中から紡ぎ出された「こと」は、人々の中に鮮烈な記憶として刻まれたに違いありません。そしてこの記憶を忘却の彼方へ葬ることなく、次のステージに受け渡すことが、関わった人々の使命であり、責務ではないでしょうか。

　最後に、「うちのDEアート」をはじめ新潟市西区内で行ったアートプロジェクトに理解を示し、積極的に応援し、ご支援くださった方々にこの場を借りて御礼を申し上げます。特に、プロジェクト発足当時から地域との橋渡しになってくださった夢アートうちの代表の長谷川酉雄氏、元新潟県新発田振興局地域整備部参事建設課長の渡辺斉氏、西区黒埼にて小学校との連携を実現してくださった前新潟市立黒埼南小学校校長の加藤雅之氏、プロジェクトにおけるアートの役割を視座してくれた新潟市美術館学芸係長の荒井直美氏、行政として多大な支援を賜った前新潟市西区長の山田四郎氏、他たくさんの方々のご協力があったからこそ、15年間「うちのDEアート」を実

践できたと思い至っています。また、この本の刊行に際し、新潟日報事業社の羽鳥歩氏と新潟大学教育学部芸術環境講座の田中咲子氏には共同執筆者の文章をまとめ上げ、一冊の本として編集していただいたことに改めて謝辞を述べたいと思います。そしてこの本が次の扉を開くための美術教育やアート、そして地域を考えるための出合いとなることを願って結びとしたいと思います。

著者一覧（第3部掲載順）

丹治嘉彦　新潟大学教育学部芸術環境講座教授。1992年に本学教員に着任。専門は現代アート及び洋画。本書執筆箇所は第1部 pp.22, 26, 32, 34, 第3部 pp.82-97, 210-214.

佐藤哲夫　新潟大学教育学部芸術環境講座教授。1986年に本学教員に着任。専門は美術教育及び芸術学。本書執筆箇所は第1部 pp.16, 40, 第3部 pp.98-117.

柳沼宏寿　新潟大学教育学部芸術環境講座教授。2005年に本学教員に着任。専門は美術教育。本書執筆箇所は第1部 pp.24, 38, 第3部 pp.118-127.

橋本　学　新潟大学教育学部芸術環境講座准教授。1996年に本学教員に着任。専門はデザイン。本書執筆箇所は第1部 pp.10-13, 18, 28, 30, 第3部 pp. 128-141.

郷　晃　新潟大学教育学部芸術環境講座教授。1997年に本学教員に着任。専門は彫刻。本書執筆箇所は第1部 p.20, 第3部 pp.142-159.

永吉秀司　新潟大学教育学部芸術環境講座准教授。2011年に本学教員に着任。専門は日本画。本書執筆箇所は第1部 p.42, 第3部 pp.160-181.

田中咲子　新潟大学教育学部芸術環境講座准教授。2012年に本学教員に着任。専門は美術史。本書執筆箇所は第1部 pp.10-13, 36, 第3部 pp.182-199.

荒井直美　新津市美術館学芸員を経て、現在、新潟市美術館学芸係長。本書執筆箇所は第3部 pp.200-209.

編　集　　田中咲子（新潟大学）

デザイン　橋本　学（新潟大学）

本書はアートクロッシングにいがたの活動の一環として出版されました。

うちのDEアート　15年の軌跡
地域アートプロジェクトを通じて見えてきたもの

2017（平成29）年　3月31日　　初版第1刷発行

編　　　者　新潟大学教育学部芸術環境講座（美術）
発 行 者　鈴木聖二
発 行 所　株式会社 新潟日報事業社
　　　　　　〒950-8546　新潟市中央区万代3-1-1
　　　　　　メディアシップ14階
　　　　　　TEL 025-383-8020　FAX 025-383-8028
　　　　　　http://www.nnj-net.co.jp
撮影協力　奥村基
印　　　刷　株式会社 第一印刷所